아로마코칭 기초

한국아로마코치협회
김세희, 박유미, 백은미, 유은하

머리말

우리의 삶 속에서 향기는 단순히 코를 자극하는 냄새 이상의 의미를 담고 있습니다. 어린 시절 할머니 집에서 맡았던 구수한 향, 세상에 막 태어나 꼭 쥐고 있는 아기의 손을 펼쳐보면 나는 사랑스러운 향, 매일 아침 나를 깨워주는 커피 향, 기억 속 어떤 순간을 떠올려주는 특별한 향과 같이 말이죠. 향기는 우리의 기분을 조절하고 건강을 증진시키며, 심지어 우리 삶의 질을 향상시켜주는 강력한 수단이 되기도 합니다.

이 책을 통해 여러분에게 소개하는 '아로마코칭'은 단순히 향기를 맡고 즐기는 것을 넘어서, 아로마(aroma)와 코칭(coaching)을 접목시킨 새롭고 혁신적인 프로세스입니다. 여러분은 아로마코칭을 통해 자신을 더 깊이 이해하고, 진짜 '나'를 발견하여 행복한 삶을 살아가게 될 것입니다.

더 많은 사람들에게 '아로마코칭'을 소개하기 위해 아로마테라피와 코칭 분야에서 수년간 공부하고 현장 경험을 쌓은 저자들이 모여 아로마코칭의 개념을 학문적으로 정립하고 실제 현장에서 활용할 수 있는 다양한 실전 지식을 모아 기록하였습니다. 그 중 가장 기초가 되는 내용들을 모아 본 책으로 엮었습니다.

지금부터 여러분은 이 책을 통해 아로마에 대한 단순한 지식 습득을 넘어, 진정한 자기 발견과 성장의 기회를 강력하게 경험하게 되실거라 확신합니다. 아로마코칭과 함께 내면의 평화와 조화를 발견하고, 일상의 소소한 순간들이 더욱 풍부하고 의미 있게 느껴져서 매 순간 강력한 알아차림과 충만한 행복이 있기를 기원합니다.

2024년 3월
「아로마코칭 기초」 저자 일동

PART 1
아로마의 이해

Chapter 01. 아로마테라피의 이해

1. 아로마테라피의 개념

아로마테라피(aromatherapy)의 어원은 그리스어로 향, 냄새를 뜻하는 '아로마(aroma)'와 치료법을 뜻하는 '테라피(therapy)'를 조합한 말이다. 향기요법, 방향요법이라고도 한다. 향기가 나는 식물의 꽃, 줄기, 잎, 뿌리, 열매 등에서 추출한 순수한 정유(精油, 에센셜 오일)를 호흡기 또는 피부를 통해 체내에 흡수 시킨다. 또한 몸과 마음의 균형을 잡고 회복시켜 인체의 항상성을 유지시켜 준다. 각 에센셜 오일의 고유한 향을 맡으면, 신경계가 자극되어 심리적 안정, 집중력과 기억력 향상, 숙면 효과를 내며, 피부에 스며든 오일은 혈관을 타고 전신을 돌면서 통증을 줄이고, 장의 움직임을 촉진하는 등의 효과를 발휘한다. 아로마테라피에서 사용하는 '아로마'는 사람에게 이로운 특별한 효능이 있는 식물의 꽃이나 잎, 줄기, 열매, 뿌리 등에서 추출한 방향(芳香) 물질을 에센셜 오일 형태로 이용하는 것이다. 그래서 아로마 오일이라고도 부르지만, 정확한 표현은 에센셜 오일이라고 할 수 있겠다. 약리효과가 있는 식물의 특정 부위에서 추출 해낸 에센셜 오일을 후각이나 피부를 통해 인체에 흡수시켜 인체의 정신과 육체의 건강을 유지, 증진 시킨다.

최근 관심받고 있는 홀리스틱 아로마테라피(Holistic Aromatherapy)는 기존의 아로마테라피에서 한 단계 더 나아가 전인적인 관점에서 접근하는 방식이다. 전인적이라는 것은 통합적 관점을 의미한다. 어느 한 가지 신체적 증상에만 집중하는 것을 벗어나 전체적인 관점을 가지는 것이다. 의학에서 전인주의는 '질병의 신체적 증상이 아닌 정신적·사회적 요인을 고려하여 전체 사람을 치료하는 것'이라고 보고 있다. 예를 들어, 진통제를 처방받는 것은 통증을 빨리 없애는 것이다. 여기에 온·냉찜질, 마사지, 수면, 기분 개선 등을 더해 관리하면 통증을 관리하고 스트레스를 줄이며 치유의 과정이 빨라지는 데 도움이 될 수 있다. 이렇게 통합적 접근법은 전체적으로 서로를 보완하고 균형을 이루어 진정한 웰빙을 달성하는 데 도움이 될 수 있다.

홀리스틱 아로마테라피는 신체적으로 나타난 증상뿐만 아니라 정신, 정서, 감정 상태와 환경 등 증상과 관련된 많은 요소까지 포함한 통합적으로 고려하여 접근하는 것이다. 이를 위해 다양한 에센셜 오일을 조합하여 사용하며, 개인의 요구에 따라 맞춤형으로 사용되는 것이 특징이다.

BODY

감각을 일으키고
에너지를 상승시키는

MIND

나를 이해하고 인정하는

SPIRIT

정신을 안정하고 다듬는

<그림 1 홀리스틱 아로마>
(한국아로마코치협회)

1) BODY 육체

우리의 신체적인 건강을 의미한다. 홀리스틱 아로마테라피에서는 신체 건강을 유지하는데 필요한 영양, 운동, 휴식 등을 고려한다. 에센셜 오일들은 피부 건강, 면역 증진, 통증 완화 등 다양한 신체적인 문제의 해결을 도와줄 수 있다.

2) MIND 마음

우리의 감정, 생각, 태도를 대표한다. 스트레스, 우울증, 불안 등의 정서적인 문제는 신체 건강에도 영향을 미치므로, 홀리스틱 아로마테라피에서는 마음의 건강을 유지하는 것이 중요하다고 강조한다. 특정 에센셜 오일들은 마음의 안정과 긍정적인 감정 상태를 유지하는 데 도움이 될 수 있다.

3) SPIRIT 영혼

우리의 정신적, 영적인 부분을 의미한다. 이는 개인의 가치관, 믿음, 목표 등을 포함하며 홀리스틱 아로마테라피에서는 이러한 영혼의 조화를 유지하는 것이 중요하다고 강조한다. 에센셜 오일은 명상, 기도, 휴식 등 영혼의 건강을 돕는데 사용될 수 있다.

2. 아로마테라피의 효과

1) 일반적인 효과

스트레스 감소와 진정 및 균형 작용으로 웰빙을 구현한다.

항 미생물 효과와 더불어 면역계를 자극, 강화함으로써 질병의 예방과 치유에 도움이 되며, 염증 및 통증을 진정, 완화 시키고 세포 재생을 돕는 효과가 있다. 혈액 및 림프 순환 작용을 조절하며 전반적인 심신의 균형을 잡아준다.

2) 신체적인 효과

에센셜 오일이 피부 등을 통해 혈관으로 들어가 신경전달물질, 호르몬과 효소 등 인체 내 화학물질과 반응한다.

에센셜 오일은 긴장 및 스트레스 관련 증상을 완화해 인체에 긍정적인 영향을 미친다. 예를 들면 심장박동 또는 호흡률을 완화 시키고, 긴장된 근육이 이완되도록 돕는다.

3) 심리적인 효과

에센셜 오일의 향이 흡입되었을 때 후각과 밀접하게 연관된 감정 및 기억을 관장하는 뇌 부분이 특정한 냄새에 대해 행복했던 순간을 기억하는 등 특유의 반응을 나타내는 긍정적인 효과가 있다.

3. 아로마테라피의 역사

1) 고대

동서양을 막론하고 아로마테라피의 역사는 매우 오래전으로 거슬러 올라간다. 동양에서는 인도와 중국, 서양에서는 이집트에서 시작되어 종교의식, 미용, 의료 목적으로 사용되었다.

(1) 선사시대

벽화에 식물을 통해 사람들을 고친 내용의 벽화가 존재한다. 고대 원시인들은 식물을 식용으로 이용하기까지의 많은 시행착오를 거쳐 왔으며 음식이나 난방용으로 나무를 땔감으로 이용하는 정도에서 그쳤다. 약 18,000년 전 프랑스의 한 동굴 벽화에서 발견된 자료에 의하면 식물을 의학적 목적으로 사용한 것처럼 보이는 그림이 발견되었다. 신석기 시대 약 6,000 - 9,000년 전에 최초로 올리브, 아마씨, 참깨의 식물로부터 추출한 원액이 최초의 식물 성분이라고 식물학자들은 말한다.

(2) 이집트

약 5000년 전, 고대 이집트인들은 아로마 오일을 의학, 미용, 시체 봉합, 종교적 목적 등으로 광범위한 분야에 사용한 최초의 민족이다. 약 B.C. 300년경, 이집트인들은 원시적인 방법의 증류법을 개발했던 것으로 추측한다.

피라미드 안에서도 에센셜 오일이 발견되었으며, 피라미드의 문을 처음 열었을 때 이러한 에센셜 오일의 향이 난 것으로 알려져 있다.

<그림 2 고대 이집트 벽화 그림>

이집트는 토질이나 기후 등이 향기로운 식물이 잘 자랄 수 있는 여건을 갖추고 있어 실생활에서 아로마를 많이 사용했다. 이집트의 기록물인 파피루스에는 식물의 의학적 효과와 사용법이 기록되어 있으며, 당시의 향수로 알려진 키피(Kyphi)는 미르, 시나몬, 쥬니퍼베리, 스파이크나드, 카시아, 샤프란, 꿀, 송진, 사이프레스 등의 16가지 재료를 섞어 만든 향수이다. 또한, 이집트인들은 영혼의 전이에 대한 믿음이 강해 시체의 방부처리에도 아로마를 사용했으며, 미라 제작 시에도 미르, 송진, 떡갈나무, 이끼 등으로 채워 넣었다.

20세기 투탕카멘 무덤 발굴 시 키피(Kyphi)의 향을 맡을 수 있었다고 한다. 또한, 제사 도구에서도 유향, 미르로 추정되는 향이 남아있었다고 하며, 시더우드 오일도 마찬가지로 미라 봉합 때 사용했던 오일로 전한다. 이집트의 마지막 여왕 클레오파트라는 향료 밭을 소유하고 있었으며 그녀의 미모와 매력을 유지하기 위해 아로마를 즐겨 사용했다고 알려져 있다. 특히 로마의 통치자 마크 안토니우스를 유혹하기 위해 바닥에 45cm 두께의 장미꽃을 깔고 그 향기의 힘을 이용했다는 일화는 지금까지도 전해져오는 유명한 일화이기도 하다.

(3) 그리스

약 B.C. 400년경 그리스의 헤로도투스(Herodotus)와 데모크라테스(Democrates)는 이집트를 방문하여 이집트의 향기와 향수를 주제로 공부하고 돌아와서 그리

11

스에 메디컬 학교를 설립한다.

의학의 아버지라 불리는 히포크라테스는 "건강을 유지하는 최상의 방법이 아로마틱 목욕과 마사지를 일상화하는 것이다."라고 할 만큼 아로마테라피의 효능을 인정하고 그것을 일상 속에서 사용했던 인물이었다. 주니퍼, 유향, 상미 등의 식물의 의학적인 효능을 인정하고 환자에게 처방하기도 하였다.

그는 허브와 에센셜 오일에 관련된 과학적 연구를 토대로 식물을 이용한 훈증 소독과 찜질을 치료에 적용하였다. 아울러 그는 여러 가지 저서에 아로마 목욕과 향유를 바르면 건강을 유지할 수 있다고 기술할 정도로 방향 식물을 이용한 향기 요법의 효과를 확신했다. 그는 약용 식물에 대한 처방, 사용에 대한 확신뿐만 아니라 그 임상 내용을 담은 기록을 저서에 여럿 남겼다.

데오파라투스(Theophratus)는 약 B.C. 300년경, 식물학의 탐구(Enquiry into Plants)라는 책을 저술 훗날 식물의 아버지로 불린다. 그는 쟈스민 향이 낮보다 밤에 향이 더 강하다는 것을 발견했다. 메갈러스(Megallus)는 자신의 이름을 따 메갈론(Megaleion)이라는 향수를 만들어 상처 치료용이나 세균으로부터의 감염을 줄이는 약으로 사용했다.

(4) 로마

로마는 그리스로부터 의학을 이집트로부터 화려한 향유 문화를 받아들여 예식용으로 향을 사용하거나 신체를 가꾸는 미용에 사용하였다. 이후 로마 제국이 확장됨에 따라 로마 군인들의 상비약인 약용 식물들이 유럽 전역에 전파되었는데 향유를 상처 치유, 악취 중화, 질병이나 오염된 냄새를 막는 데 사용했다.

<그림 3 로렌스 알마 타테마 카라칼라 목욕탕>

특히 로마는 목욕문화가 발달하여 목욕에 많은 에센셜 오일을 사용하였다. 로마의 카라칼라 황제는 로마인들의 호감을 사 왕권을 지키기 위해 커다랗고

화려한 카라칼라 목욕탕을 건축하고 여기서 엄청난 양의 에센셜 오일을 사용했다.

(5) 성경 속 아로마

성경은 약 6천 년의 이스라엘을 기반으로 쓰여진 책이다. 이 책에는 향유, 성유, 기름, 치유에 관한 내용이 많이 기록되어 있다. 특히 예수의 탄생을 축하하기 위해 동방박사들이 세 가지 성물을 예수께 바쳤다는 기록이 있는데 그때 바친 성물이 유향, 몰약, 그리고 황금이다.

이 중 유향과 몰약은 항바이러스 작용과 항균 작용이 강하고 출산한 산모의 어혈을 제거하는 자궁 강장제이며 무독성으로 부작용 없이 만병통치약처럼 사용되었기에 바쳤을 것으로 추정된다.

<그림 4 예수와 동방박사>

(한국아로마코치협회)

(6) 인도

약 5,000년 전부터 존재했던 고대 인도의 전통 의학인 아유르베다(Ayurveda)는 인간에게 고유한 세 가지 요소가 있다고 보았다. 그것은 바타(공기와 바람의 요소), 피타(불과 물의 요소), 카파(물과 흙의 요소)이며, 이들의 균형이 깨지면 아그니(소화를 시키는 불)가 약해져서 아마(소화되지 않은 물질)가 생기고 이것이 몸 안의 수많은 통로를 막아 병이 된다고 보았다.

아유르베다(Ayurveda)를 기반으로 한 「아유베딕(Ayurvedic)」이라는 약학서에서는 각종 식물과 그 식물에서부터 추출한 성분들을 분류하여 자연의 조화에 맞게 치료하는 요법이 기록되어있다.

예를 들어, 샌달우드는 로즈, 쟈스민과 함께 인도에서 가장 광범위하게 쓰이는 약용 식물인데 기원전 약 2,000년경에 기록된 식물학 서적인 「베다스(Vedas)」에 의하면 샌달우드, 진저, 몰약을 이용한 의학적, 종교적 의식 목적의 다양한 활용법을 소개하고 있다. 또한, 700여 개의 유용한 방향 식불과 이 식물들의 특성이 기록되어 있다.

(7) 중국

중국의 오래된 의학서인 「황제내경」, 신농이 쓴 「신농본초경」 등에 향료 식물에 대한 기록이 남아있는 것을 확인할 수 있다. 이러한 책들에는 약용으로 사용되는 다양한 식물들의 효능에 관해 서술되어 있다.

침술, 마사지와 함께 치료의 목적으로 사용되었으며, 종교의식에서는 신성과 순결을 상징하는 데 이용되기도 했다. 중국 전통의학에서도 허브를 이용하여 뜸, 비훈, 좌훈 등을 적용하며, 허브나 약재의 향을 이용하여 치료하는 것으로 알려져 있다.

동양의학에서 향을 활용하는 방식으로 향낭, 향대법, 향침법, 약욕, 도포, 향병법, 향지법, 향즙법 등이 있으며, 이는 아로마테라피에서 에센셜 오일을 적용하는 법과 비슷한 방법들도 있다.

예를 들어 향낭과 향대법은 안식향 등을 주머니에 넣고 다니거나 침상 밑에 두어 질병을 예방하고 벌레를 쫓는 방법이며, 아로마테라피에서도 향을 발향하는 방법으로 질병을 예방하고 치료하는 데 사용된다.

2) 중세

십자군 전쟁(11세기~13세기) 이후 에센셜 오일을 사용하는 다른 나라를 방문했던 기사나 병사들에 의해 식물과 허브의 효과와 사용법이 유럽 전역으로 전파되었다. 흑사병(14세기)이 창궐하였을 때는 전염병이 공기 때문에 전염된다고 믿었던 당시 향료의 사용을 적극적으로 권장했으며, 몸에 지니고 다닐 정도로 향료의 사용이 많았다. 이 시기에는 관절염, 통풍, 근육통, 상처와 염증 그리고 임신과 출산 등에 에센셜 오일이 사용되었다. 16세기에는 향수제작을 위한 에센셜 오일의 수요가 늘어났다.

당시의 사람들은 목욕과 세탁 등을 자주 하지 않고 파우더, 플로럴 워터, 향수 등을 사용해 악취를 잠재웠다. 17세기 페스트가 유럽을 강타하자 라벤더, 카모마일, 바질, 멜리사, 타임 등의 허브가 살균제로 사용되기 시작하였고, 이는 아로마테라피가 한 단계 진보하는 계기가 되었다. 사람들은 거리

마다 파인과 유약을 불에 태웠고 흑사병에 대응하고자 집이나 병원마다 향기 나는 다양한 꽃이나 허브 송진으로 치장하고 옷이나 목 주위에도 매달고 다녔다. 아랍의 철학자이자 물리학자인 아비세나(Avicenna, 980~1037)는 최초로 에센셜 오일을 추출하는 현대 방법과 유사한 수증기 증류법을 발명했다.

그의 저서 「치료책(The Book of Healing)」과 「의학의 규범(The Canon of Medicine)」은 17세기까지 의학 학교에서 사용해 왔으며 오늘날에도 언급되고 있다. 18세기부터 유럽의 저택에서는 그들만의 증류 시설인 스틸 룸(still room)을 만들어 사용하였다. 스틸 룸 메이드(still room maid)라 불리는 이들이 에센셜 오일과 플로럴 워터를 추출하여 향료, 목욕용품, 의약품 그리고 향신료 등으로 사용하였다. 이것이 초기 유럽 버전의 아로마테라피스트라고 할 수 있다.

3) 근대
(1) 르네 모리스 가테포세(Rene-Maurice Gattefosse, 1881-1950)
프랑스 화학자이자 향을 개발하는 조향사였다. 그는 1920년경, 실험실에서 실험하던 도중 손에 화상을 입고 우연히 라벤더가 들어있는 오일 통에 손을 넣게 된다. 그런데 신기하게도 화상을 입었던 손의 통증이 사라지고, 상처나 수포 없이 빨리 치유되는 모습을 보고서 그는 에센셜 오일의 효과를 직접 느끼게 된다.

<그림 5 르네 모리스 가테포세(Rene-Maurice Gattefosse, 1881-1950)>

그 이후 가테포세는 식물의 아로마 성분의 치료적 특성에 대해 활발하게 연구하기 시작했다. 당시 관심이 뜨거웠던 각각의 활성 성분들보다 에센셜 오일 그 자체가 치유에 있어 더 효과적임을 발견했다. 그는 1차 세계대전 중 화상이나 부상자의 상처 치료에도 아로마테라피를 적극적으

로 활용하여 공훈을 세운다.

이러한 경험들을 모아 저술한 저서가 바로 1928년 「아로마테라피(Aromatherapie)」라는 책이다. 이때 '아로마테라피'라는 용어가 처음 사용됐고 다양한 저서를 발표했다. 에센셜 오일의 치료적 성격을 입증했다는 측면에서 그는 큰 공훈을 세웠으나 단순히 에센셜 오일의 치료적 관점만 바라보아 또 다른 하나의 약으로만 여겼다는 한계가 있다.

(2) 장 발넷(Dr. Jean Valnet, 1920-1995)

프랑스 화학자이자 군의관이었다. 그는 1948년에서 59년까지 인도차이나 전쟁에 참전했는데, 항생제 공급이 부족해지자 이를 대체하고자 상처를 치유하는 데에 캐모마일, 백리향, 레몬, 정향 등의 에센셜 오일을 사용해 큰 성과를 거뒀다. 감염성 병원균에 대한 순수 에센셜 오일의 치료적 특성을 연구하기도 했고, 전쟁에서 정신적 고통을 호소하는 환자들과 심리 병동에 정신 장애가 있는 환자들을 대상으로 심리적, 정서적 치료로서 에센셜 오일을 사용하기도 하였다.

<그림 6 장 발넷(Dr. Jean Valnet, 1920-1995)>

그는 이러한 다양한 풍부한 치료 경험을 토대로 64년 「The Practice of Aromatherapy」라는 책을 출간하게 된다. 이는 현재에 이르기까지 임상 아로마테라피의 교과서로 여겨진다. 이 책은 1982년 로버트 티저랜드에 의해 영문으로 편집, 번역돼 아로마테라피가 비프랑스어권 지역에서 대중화되는 계기가 됐다.

(3) 마가렛 모리(Marguerite Maury, 1895-1968)

오스트리아 출신의 프랑스 생화학자이자 간호사였다. 현대 일반적으로 실용화된 전인적 아로마테라피 개발에 많은 기여를 하였다. 그녀는 에스테틱으로서의 아로마테라피 정립을 위해 노력했다. 그녀는 에센셜 오일이 피부 재생, 노화 방지에 탁월한 효과가 있다는 사실을 알고, '개개인의 특성에 따른 정확한 아로마 조합'이라는 공식을 만들어 치유와 일반적 건강 문제를 해결하는 데에서 많은 성과를 거두게 된다.

<그림 7 마가렛 모리(Marguerite Maury, 1895-1968)>

신경이 모이는 척추를 따라 아로마 오일을 사용하는 마사지 기술을 고안하는 등 에센셜 오일과 캐리어 오일을 섞어 사용하는 체계적이고 안전하면서 효과적인 마사지 방법을 만들었다. 미용과 마사지 등을 통한 경피 흡수 분야에 적극적으로 활용하며 아로마테라피를 발전시키고 연구하였다. 50년대에는 영국으로 건너가 클리닉을 설립하고 61년에는 프랑스에서, 64년에는 영국에서 「The Secret of Life and Youth」를 출간하였다.

4) 현대

화공 약품의 오남용에 대한 부작용과 폐해를 우려하면서 100여 년 전부터 선진국을 선두로 하여 자연 치유법에 대한 관심이 점차 높아지고 있으며, 유럽의 경우에는 아로마 전문점 매장이 매우 호황을 누리고 있다. 현대 아로마테라피는 크게 세 가지 방향으로 나눌 수 있다.

(1) 프랑스 중심의 메디컬 아로마테라피(Medical Aromatherapy)

메디컬 아로마테라피는 에센셜 오일의 화학적 그룹들의 특성을 조사하여 에센셜 오일의 효과를 이해하는데 효과적인 도식들을 제안한다. 순수한 에센셜 오일이 합성물, 반 합성물 또는 천연과 동일하다는 어떤 불질보다도 언제나 우월하다는 것을 밝혀냈다.

(2) 전인적인 아로마테라피(Holistic Aromatherapy)

에센셜 오일의 효능을 통해 몸, 마음, 영혼의 조화를 추구하는 전인적 아로마테라피이다. 마가렛 모리와 티저랜드로 이어져 대중적 아로파테라피의 경향은 전문 의료인이 아닌 일반인들에게 아로마테라피를 널리 알리는 데 공헌을 하였으며, 에스테틱, 마사지, 미용 등 다양한 분야에서 아로마테라피의 대중화에 기여하였다.

(3) 아로마콜로지(Aromachology)

향기가 인간의 심리적 측면에 미치는 영향을 연구하는 분야이다. 그 시작은 1923년 가테포세와 카욜라가 발간한 「The Action of Essences on the Nervous System(에센셜 오일의 신경계 효과에 대한 작용)」이다. 그들은 향기가 어떻게 인간의 기분과 감성에 영향을 끼치는지에 대해 고민하였는데 호흡을 통해 체내로 들어온 에센셜 오일이 우리의 의식적인 통제하에서는 조절할 수 없는 부분인 중추신경계에 영향을 미친다고 밝혔으며, 에센셜 오일이 가지고 있는 진정과 자극의 효과를 규명했다. 이를 바탕으로 향기에 대한 연구들은 의미가 있는 연구 결과들을 지속적으로 발표하고 있다.

4. 아로마테라피의 기초

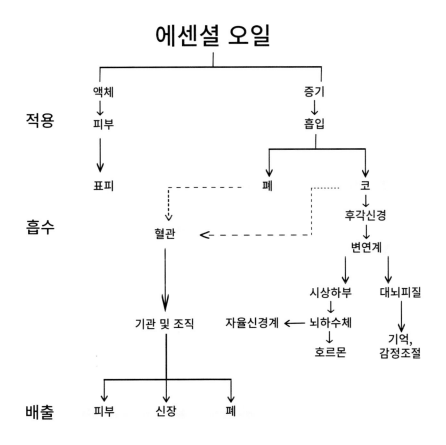

<표1 아로마테라피의 흡수 경로>
(한국아로마코치협회)

1) 아로마테라피의 흡수 경로

에센셜 오일은 피부를 통해 흡수되거나, 휘발하여 숨을 통해 흡입될 수 있다. 피부에 바르거나 마사지를 통해 흡수되는 경우는 주로 피부 관리나 피부 문제 개선을 위해 사용된다. 흡입 경로를 통해 호흡기로 직접 흡입되는 경우에는 신경계나 감정 조절에 영향을 줄 수 있다.

(1) 후각을 통한 흡수 경로

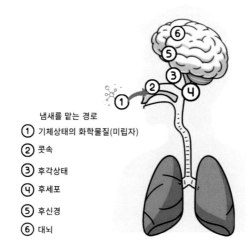

<그림 8 후각을 통한 흡수 경로>
(한국아로마코치협회)

> 향기 입자→코→비강 섬모의 후각수용체와 결합→ 후각신경 자극, 전기적
> 신경전달 신호→뇌로 전달→대뇌 번연계(편도, 해마)와 시상하부 등 중추신
> 경계 전반에 작용→긍정적인 심리적, 신경적 변화 유도
>
> - 변연계: 뇌간과 대뇌피질 사이의 신경세포 집단
> - 해마: 학습과 기억에 관여
> - 편도체: 가정, 공포, 분노, 슬픔 정서와 관련된 기억 등을 관장
> - 시상하부: 생존에 관계되는 체온, 혈압, 심장박동, 혈당 조절 및 뇌하수
>   체 기능 조정

   사람이 구별할 수 있는 냄새의 가짓수는 대략 1만 가지 이상이라 한다.
1만 가지 이상의 냄새 분자는 각자 독특한 냄새로 인간의 안전과 생존을
위한 여러 가지 기억을 연상시킨다. 아기가 태어나자마자 본능적으로 모유
를 찾고, 엄마에 대해 기억을 하는 것은 전적으로 후각의 역할이다.
   우리가 들이마시는 공기가 있는 향 분자가 코의 비강을 통과하면, 후각
상피라고 알려진 특별한 세포의 층을 통과하게 된다. 후각 상피에는 향을
인식하는 1천만 ~ 5천만 개의 후신경세포가 존재하며, 후구에서 뻗어나온
후신경세포의 표현에 있는 후각수용체가 향 분자를 붙잡는다. 후각수용체

들이 잡은 향 분자들은 후각 수용 세포로 전달되어 후각 수용 세포가 활성화되고 향 분자들은 전기 신호로 신경망을 통해 후구로 보내진다. 비갑개의 천장에는 후신경구라는 곳이 있는데, 후각신경에 연결된 향은 뇌의 후구에 전달되어 향의 정보를 여러 종류의 세포가 해석하여 뇌의 대뇌변연계를 거쳐 시상하부에 도달한다. 시상하부에 도착한 향의 신호는 시상 하부를 자극하고, 제대로 활동하지 않은 시스템을 다시 움직이게 하는 역할을 한다.

에센셜 오일의 향기는 뇌의 향기 수용체를 자극하여 신경전달물질인 세로토닌, 도파민, 엔도르핀 등을 분비하게 한다. 이로 인해 기분이 개선되고 스트레스가 감소할 수 있다. 또한, 특정한 향기는 뇌파를 조절하여 집중력을 향상시키거나 수면을 촉진하는 효과를 가질 수 있다.

(2) 폐를 통한 흡수 경로

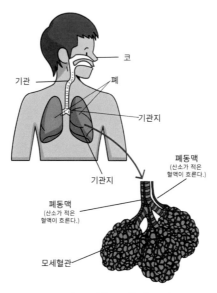

코
기관
폐
기관지
폐동맥
(산소가 적은
혈액이 흐른다.)
기관지
폐동맥
(산소가 적은
혈액이 흐른다.)
모세혈관

<그림 9 폐를 통한 흡수경로>

(한국아로마코치협회)

> 향기 입자 → 호흡 → 기관지를 지나 폐포로 이동 → 혈액의 흐름에 따라 온몸을 순환 → 목표 기관 도달 → 치유 효과 → 땀, 대소변으로 배출
>
> 폐포: 이산화탄소와 가스교환이 일어나는 기관. 폐포는 모세혈관으로 촘촘히 감싸여 있으며, 동맥과 정맥으로 연결됨

에센셜 오일의 흡수 경로 중 하나는 폐호흡을 통해 이루어지는 것이다. 폐는 표면적이 넓어서 깊고 빠른 호흡을 할 때는 혈류에 닿는 에센셜 오일의 양을 증가시킬 수 있다. 들숨에 의해서 에센셜 오일 분자들은 기관을 통과한 후 기관지로 내려간다.

기관지에서 돌기와 미세 기관지 돌기를 거쳐 마지막엔 아주 작은 주머니 같은 허파꽈리로 진입하는데, 그 곳에서 기체가 열핵 안으로 들어가게 되는 것이다. 수많은 모세혈관이 들어있는 폐포의 얇은 벽은 확산에 의해 가스 교환이 이루어지는 곳이다.

산소는 상대적으로 용해도가 낮아(따라서 확산 속도도 느리다) 넓은 표면적과 아주 얇은 벽이 필요하다. 그러므로 이러한 허파꽈리는 에센셜 오일 같은 작은 분자들을 혈액까지 운반하는 데에 매우 효과적이다. 폐에서 혈액으로의 분자 이동의 효과는 지방 용해도와 호흡의 깊이에 의해 영향을 받는다. 지방 용해도가 높은 에센셜 오일일수록, 깊은 호흡을 할수록, 혈액 흐름에 대한 비율이 높아진다.

(3) 피부를 통한 흡수 경로

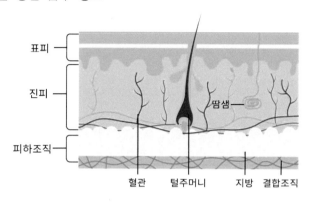

표피

진피

피하조직

땀샘

혈관　털주머니　지방　결합조직

<그림 10 피부를 통한 흡수 경로>
(한국아로마코치협회)

> 캐리어 오일로 희석 → 피부 도포 → 표피층 통과 → 진피층 도달 → 림프관 또는 모세혈관으로 흡수 → 전신 순환 → 목표 기관에 도달 → 인체 각 부위에 긍정적인 영향 → 신장, 폐, 피부 등을 통해 배출
>
> 피부를 통한 흡수의 특징: 에센셜 오일은 지용성이고, 매우 미세한 입자이므로 모공, 한선, 표피층을 쉽게 통과하여 진피층까지 도달할 수 있음

오일의 흡수도에 영향을 줄 수 있는 요소는 점도, 온도, 지방산이 있다. 오일의 점도는 끈적임으로 설명할 수 있는데, 점도가 높아질수록 오일의 피부 흡수도는 떨어진다. 대표적인 오일로는 돼지기름, 라놀린이 있다.

이들은 보통 피부에 흡수가 잘 안 된다. 막을 형성 후 수분 손실을 저지할 수 있어 보습적인 측면에서 훌륭하지만, 점도가 높아 흡수율이 떨어지는 오일은 대체로 피부 트러블과 같은 반응을 일으킨다.

따라서 민감성 피부인 경우에는, 피부에 도포한 이후 끈적임 없이 사라지는 식물성 오일을 추천한다. 가장 점도가 낮은 오일로는 포도씨 오일을 예로 들 수 있다.

온도가 높아질수록 오일의 점도를 낮추게 된다. 오일 흡수 극대화를 원한다면 오일을 따뜻하게 데워서 적용하는 것도 방편이 될 수 있다. 오일내에 함유한 지방산의 종류에 따라 오일 흡수도 달라질 수 있다. 긴 사슬보다는 짧은 사슬의 지방산이 그리고 포화지방산보다는 복합 불포화지방산을 더 많이 가지고 있는 식물성 오일이 상대적으로 피부 흡수도가 높은 것으로 알려져 있다.

2) 아로마테라피의 적용법

아로마테라피는 사용하고자 하는 상대, 상태, 상황, 증상에 따라 다양하다. 올바른 에센셜 오일을 선택하고 효과적으로 사용하는 방법을 선택해야 한다.

(1) 마사지

아로마테라피의 여러 방법 중 가장 효과적인 방법이 마사지이다. 마사지는 건강을 유지할 수 있는 방법 중 하나로 필요한 부위에 오일을 흡수시켜 빠른 효과를 볼 수 있다. 마사지의 장점은 신진대사를 증진시키고 노폐물을 제거하고 노폐물을 제거하고 근육 이완 및 관절의 유연성을 증가시킨다. 혈액순환 개선과 림프 기능을 촉진시키고 피부 상태를 개선하며, 신경계 진정효과, 피로 회복과 통증 제거에 효과적이다.

(2) 목욕법

아로마 목욕법은 가정에서 아로마테라피를 즐길 수 있는 가장 쉽고 편안한 방법이고 후각을 통한 흡수가 되는 동시에 이루어져 매우 효과적인 방법이다. 수욕과 족욕, 좌욕 등의 방법으로 활용된다. 에센셜 오일은 물에 용해되지 않기 때문에 캐리어 오일 또는 무향의 샴푸, 샤워젤 등에 희석하여 사용하기도 한다. 목욕법의 장점은 심신의 피로회복, 긴장감 해소와 신경계 이완에 좋다. 신진대사 시 생기는 노폐물과 열, 염증 제거, 통증 완화, 피부 상태 개선에 도움이 된다.

(3) 흡입법

에센셜 오일의 향기는 심리적 안정을 유도함과 동시에 후각을 통하여 뇌신경을 자극하여 호르몬 작용을 활성화시킴으로써 신체의 균형을 유지하게 한다. 흡입법은 오일이 피부에 직접 닿지 않기 때문에 에센셜 오일 원액을 그대로 사용한다. 흡입법에는 건식 흡입법, 증기 흡입법, 아로마 목걸이 등이 있다. 흡입법의 장점은 비염, 콧물, 코막힘, 감기 등과 같은 각종 호흡기 질환 해소, 두통 완화, 목 염증 완화, 가래 제거, 심신의 피로회복과 긴장감 해소에 도움이 된다.

(4) 기화법

에센셜 오일을 증발시켜 그 향을 흡입하는 방법으로 일정 공간에서 여러 사람이 함께 그 효과를 볼 수 있다. 이를 위하여 오일 버너에 물을 붓고 사용하거나, 전기 펌프가 장착되어 있는 디퓨저를 활용하여 미세한 형태의 오일을 분무시킨다.

(5) 찜질법

증상에 따라 에센셜 오일을 온찜질 또는 냉찜질법을 이용한다. 이 방법은 근육통이나 멍든 데, 급·만성 질환 치료 시 지속적인 효과를 가진다. 찜질법의 장점은 피로회복, 혈액순환 개선, 통증 완화와 몸의 열을 낮춰주고 염증 개선에 효과가 있다.

(6) 기타 적용법

무향의 크림 베이스에 에센셜 오일을 블랜딩하여 사용하는 크림법, 페이스 마스크에 에센셜 오일을 넣어 쓰는 페이스 마스크법, 클레이 파우더에 에센셜 오일을 섞어 사용하는 등의 방법이 있다. 향이 없는 샴푸에 에센셜 오일을 사용하여 모발 건강에 도움을 줄 수 있다. 원액을 사용하여 국소 부위에 도포하는 방법을 활용할 수 있다.

적용법	사용방법	권장량	적용범위
마사지법	국소도포	5~10% 블랜딩하여 사용	국소 피부질환 치료
	광역도포	성인 기준 2%, 유아동기 기준 0.5~1%로 부위별 마사지	신체적 이완, 피로감 해소, 노화방지, 피부이용 목적
	얼굴도포	1% 블랜딩하여 사용	눈 주위 피하여 사용
목욕법	전신욕	욕조에 2% 블랜딩하여 10~15ml로 15-20분 이내로 이용	피부질환, 근육통 완화, 호흡기계 증진, 스트레스 감소 림프 및 혈액순환 촉진 등의 개선 적용
	반신욕	욕조에 2% 블랜딩하여 10ml로 15~20분 정도 이용	냉증 체질이나 신진대사 개선에 적용
	족욕	2% 블랜딩하여 5ml로 5~15분 이내로 이용	전신 혈행 촉진, 수족냉증, 신진대사, 발의 피부질환, 스트레스 피로감에 적용
	수욕	2% 블랜딩하여 5ml로 5~10분 이내로 이용	손의 피부질환, 스트레스 피로감, 어깨결림, 수족냉증, 두통증상 등에 적용
	좌욕	2% 블랜딩하여 5ml로 5~15분 이내로 이용	부인과 질환 및 항문질환 증상에 적용
흡입법	증기 흡입법	600ml의 물에 에센셜 오일 2방울을 사용	호흡기질환 및 피부관리에 적용
	건식 흡입법	에센셜 오일 1~2방울을 티슈, 손수건이나 베개 등에 적용	콧물, 멀미, 두통, 불면증에 적용
	스프레이 분사법	증류수 120ml의 에센셜 오일 10~15방울정도 사용	실내공기 정화, 방충, 구취 제거 인후 및 코 염증등에 적용
	네블라이저	1회에 에센셜 오일 1~2방울을 사용	에센셜 오일 전용 네뷸라이저를 이용해 호흡기질환이나 심리적 안정 등에 사용
기화법	오일버너	에센셜 오일 2방울 사용	실내공기 정화, 방향, 불면증, 우울증 등 심리적 문제에 적용
찜질법	온찜질	따듯한 물 100ml에 에센셜 오일 1방울 사용	노인성 관절염, 근육통, 상처치료, 생리통, 어깨 결림 증상에 적용
	냉찜질	차가운 물 100ml에 에센셜 오일 1방울 사용	삔 데, 진통, 염증이나 열날 때 활용

<표 2 에센셜 오일 적용법>

3) 아로마테라피 사용 시 주의점

에센셜 오일은 매우 고농도의 오일이기 때문에 반드시 캐리어 오일에 희석해서 사용해야 한다. 자연 성분 그대로 추출된 것이기에 정확한 기준에 따라 적은 양만 사용할 경우 매우 안전하다. 하지만, 과용하거나 증상에 맞지 않는 오일을 사용할 경우 오히려 역효과가 날 수 있다. 따라서 사전에 반드시 학습을 통해 에센셜 오일별 특징을 파악하고 제대로 이해하여 안전하게 사용해야 한다. 피부 타입에 따라 알레르기 반응이 나타날 수도 있으니 손목 안쪽에 소량 발라 테스트 후 사용하는 것이 좋다.

(1) 임신 중 조심해야 할 오일

임신 초기 3개월까지는 가능한 어떤 오일의 사용도 피하는 것이 좋다. 이후 가장 안정한 오일은 만다린이다. 분만 시에는 진통 완화 자궁 수축 강화 효과가 있는 오일을 활용하여 출산에 도움을 받을 수 있다.

(2) 민감성, 알러지 피부와 패치 테스트

민감성 피부 또는 알러지성 체질 및 특정 오일에 알러지가 있다면 사전에 피부테스트를 한다. 희석한 에센셜 오일 1방울을 팔꿈치 안쪽, 손목 안쪽에 바르고 24-48시간 정도 피부에 자극이 얼마나 되는지를 확인한다. 아무 반응이 없는 경우 안전하게 사용할 수 있다. 오렌지, 페퍼민트, 타임, 티트리, 바질, 클로브, 진저, 블랙페퍼, 레몬, 레몬그라스, 멜리사 등 비교적 안전하게 사용되는 오일도 사용을 주의하도록 한다.

(3) 질환 별 조심해야 할 오일

특정 질환이나 증상이 있는 사람에게 사용해서는 안 되는 오일이 있으므로 아래 표를 참고하도록 하며, 에센셜 오일을 사용하기 전에 개인의 병력이나 특이사항을 반드시 먼저 확인하도록 한다.

구분	금해야 하는 오일
뇌전증 환자	유칼립투스, 펜넬, 히솝, 로즈마리, 세이지
감광성 오일	버가못, 그레이프프룻, 레몬, 라임, 오렌지, 패출리, 만다린 감귤류 오일은 자외선에 매우 민감. 선탠,해수욕전에 사용금지
고혈압	히솝, 로즈마리, 세이지, 타임
저혈압	라벤더, 멜리사, 일랑일랑, 클라리 세이지, 마조람

신장질환	주니퍼 베리
간질환	펜넬, 바질, 시나몬, 클로브
여성암	펜넬, 애니씨드, 세이지, 사이프러스, 안젤리카, 카라웨이, 클라리 세이지

<표 3 에센셜오일 사용시 주의해야하는 증상 및 오일>

(4) 기타 주의 사항

눈, 귀, 코 등 점막 부위는 사용을 피해야 하며, 희석해서 사용해야 한다. 실수로 점막 부위에 원액이 닿은 경우, 물로 씻어내는 것이 아니라 코코넛 오일 등을 사용하도록 한다. 또한 개인의 신체 반응은 각기 다를 수 있으므로 평소 민감성이 있다면 사전에 주의를 기울여 사용해야 한다.

아로마테라피 후에 신선한 물 또는 허브 차를 마셔서 몸 안의 독소 배출을 원활하게 해주어야 한다. 몸의 회복을 위해 휴식과 이완을 즐긴다. 간혹 아로마테라피 후에 충분한 물을 마시지 않는 경우, 두통, 멀미 등의 증상이 나타날 수 있다. 가능하면 아로마테라피 후 24시간 동안 음주와 흡연은 삼간다.

아로마테라피는 독소와 노폐물이 배출되는 과정이므로 유해성분이 있는 알코올과 담배는 금하는 것이 좋다. 샤워나 목욕은 아로마 마사지 후 최소 8시간 이후에 한다. 이는 에센셜 오일이 우리의 피부에 충분히 스며들어 혈관을 통해 우리 몸에 충분한 작용을 하도록 하기 위해서이다. 대부분의 에센셜 오일은 피부에 흡수되는 데 최대 60분 정도 걸리고 체내에서 작용 후 배출되기까지 일반적으로 9시간 정도가 소요된다.

4) 올바른 에센셜 오일 선택법

에센셜 오일이 가장 많이 사용하는 곳은 아로마테라피 분야가 아니다. 아로마테라피에 이용되는 비율은 전 세계에서 생산되고 있는 에센셜 오일 총량 중 약 5% 정도이다. 나머지는 식품 첨가물용 향료 제조업체, 향수 산업, 제약회사, 화학 제조업체 등이다. 보통 식품 첨가물로서의 향료 산업과 향수 산업은 향의 일관성이 중요하기 때문에 생장 환경에 민감한 천연의 에센셜 오일보다 합성 향을 더 선호하는 편이다.

그럼에도 불구하고 퀄리티의 차이가 분명하기에 종종 자연에서 발견되는 것과 비슷한 향을 만들어내기 위해 에센셜 오일의 화학 성분을 재구성하기도 한다. 이렇게 재구성된 에센셜 오일은 향료 산업적 측면에서는 반드시 필요하지만, 아로마테라피적 측면에서 본다면 바람직하지 않다.

아로마테라피에 사용하는 에센셜 오일은 기본적인 품질 기준에 적합하다고 판단된 오일을 사용한다. 기본적인 기준조차 제대로 갖추지 못한 에센셜 오일은 사용자의 건강과 행복에 잠재적인 위험 요소를 내포하고 있기 때문에 아로마테라피에 사용하지 않는 것이다.

(1) 에센셜 오일의 변형

에센셜 오일의 변형은 큰 틀에서 '섞음질(adulteration)'이라고 표현된다. 섞음질이란 특정 물질에 다른 물질을 첨가하여 그 품질을 저하시키는 행위이다. 생산과정에서 천연 또는 인공 물질이 첨가된 에센셜 오일은 더이상 순수하지 않으며 그 품질 또한 저하된다.

섞음질이 왜 문제가 될까? 대부분의 경우, 섞음질된 오일은 질이 낮거나 심지어 해가 될 수 있는 물질이 첨가되기 때문이다. 섞음질은 에센셜 오일의 화학 구조나 물리적 성질에 변형을 일으킬 수 있을 뿐 아니라, 그 효능을 저하시키고 나아가 다른 부작용을 유발할 수 있다.

만약 누군가가 휴식과 숙면에 도움을 받기 위해 라벤더 에센셜 오일을 구입했는데, 그 오일에 불순물이 섞여 있다면 어떻게 될까? 효과가 별로 없어 본인이 에센셜 오일과 맞지 않는다고 생각할 수 있다. 하지만 이는 에센셜 오일의 문제가 아니라 불순물이 섞여 효능이 낮아진 순수하지 않은 오일을 사용했기 때문이다.

그렇다면 에센셜 오일은 어떻게 섞음질을 할까? 의도하지 않게 에센셜 오일에 불순물이 섞이는 경우는 없다. 아래 내용을 통해 섞음질 되는 다양한 경로를 알아보도록 하자.

① 희석(dilution)

캐리어 오일이나 에탄올을 사용해서 희석시켜 양을 늘리는 경우로 에센셜 오일 업게의 일부 업체들은 보다 많은 이윤을 남기고자 이 방법을 사용한다. 캐리어 오일에 희석한 경우, 라벨에 희석농도(%)를 반드시 표기하게 된다. 이렇게 희석된 오일은 순도와 효능이 낮아질 수 밖에 없다. 헤어, 바디의 마사지용도로 사용되는 대용량 오일이 이 경우에 해당할 수 있다.

대체로 고가의 오일이 희석되어 판매되는데, 장미, 쟈스민, 네롤리, 멜리사 등이 해당된다. 다량의 알코올에 희석하여 양을 늘려 판매하는 경우는 에센셜 오일이 가지는 치료적 효능보다는 향을 뽑아내기 위해 사용된다. 이 경우 향수나 포푸리 등에 사용된다.

② 다른 오일 첨가

순수한 에센셜 오일은 그 양이 적기에 다른 성분을 혼합하여 오일의 양을 늘리기 위한 수법이다. 비슷한 화학 구조를 가진 값비싼 에센셜 오일에 비교적 저렴하고 대중적인 오일을 섞는다. 시중에 판매되는 많은 에센셜 오일이 이에 해당함으로 주의해야 한다. 혼합 합성된 오일은 아로마테라피에서는 절대 사용되어서는 안 된다.

• 저가의 오일과 고가의 오일을 섞어서 양을 늘리는 방법
예) 고가의 네롤리 오일+페티그레인 오일→네롤리 오일로 판매
예) 시나몬 오일+카시아 오일 혼합→시나몬 오일로 판매

• 저가의 오일에서 고가의 오일과 동일한 성분을 분리해서 섞는 방법
예) 레몬그라스 오일의 특정 성분+멜리사 오일

• 고가의 오일 대신 저가의 오일을 대체하여 판매
예) 아미리스 오일→고가의 샌달우드 오일 라벨을 붙여 대체

③ 천연 화합물

천연 화학 성분을 에센셜 오일에 첨가한 경우이다. 프랑킨센스 오일의 화학 구성 성분인 말파-피넨은 종종 제지 업계에서 사용되는 나무에서 추출되어 프랑킨센스 오일에 첨가되기도 한다.

④ 정제

여러 번 증기추출을 함으로써 시너지효과가 상실된다. 아로마테라피의 진정한 효과를 위해서는 반드시 '본연의 순수한' 에센셜 오일을 사용해야 한다.

5) 에센셜 오일과 인공합성 오일(fragrance oil)

에센셜 오일에서 발견되는 화학 구조는 실험실에서 합성하여 만들 수 있다. 이 경우 주로 사용되는 합성 성분은 대체로 석유 화학 물질을 이용해 만들어진다. 때론 천연 오일향과 인공합성 오일향을 구분하지 않는 경우도 있는데, 이는 특히 주의가 필요한 부분이다. 프래그런스 오일이라 불리는 인공합성 오일을 사용한 향수 조향 등은 올바른 방법의 아로마테라피가 아니다.

순수하게 천연 식물에서 추출하여 고유의 치료적 성분을 함유하고 있는 증

기증류, 냉압착 방식으로 추출된 경우에만 에센셜 오일로 인정하기도 한다. 그 외에 아로마오일로 표현되는 대표적인 합성향료는 다음과 같다.

- 프래그런스(Fragrance): 석유화학분리정제 합성 기술로 가공된 인공향료
- 단일오일: 에센셜오일에서 특정 향기 성분을 화학반응을 통해 분리한 것
- 플레이버(Flavor): 식품에 사용할 수 있도록 화학적으로 만들어짐. 법적인 용어로는 '착향제'라고 표기하며, 음식, 식품, 립스틱, 립밤 등에 사용된다.

이러한 합성향료가 모두 인체에 유해 한 것은 아니다. 하지만, 최근 인공향에는 여러 가지 유해성분이 포함된 것으로 알려지고 있기에 인공향 성분의 첨가 유무를 신경 써야 한다. 천연 에센셜 오일의 복잡한 화학 성분 간의 시너지 효과는 인공적으로 만들어내는 것이 불가능하다.

(1) 좋지 않은 에센셜 오일을 구분하는 방법
① 모든 오일의 가격을 동일하게 판매하는 회사의 경우
② 오일의 원산지가 모두 똑같이 표시된 경우
③ 알 수 없는 블랜딩을 하였거나, 합성 성분을 섞어 만든 오일
④ 흰 종이 위에 에센셜 오일을 한 방울 떨어뜨렸을 때 증발하지 않고 남아 있는 오일
⑤ 냄새를 맡았을 때 알코올 냄새가 나거나 산화된 오일
⑥ 오일을 물에 떨어뜨렸을 때 물에 뜨지 않고 물과 잘 혼합되거나 물이 탁해지는 경우

(2) 올바른 에센셜 오일 구매 방법
① 오일의 식물학 기준 정확한 학명을 확인한다. 학명이 없는 것은 합성 오일이거나 천연 아로마 에센셜 오일이 아닐 확률이 높다.
② 오일의 추출된 식물의 정확한 부위를 확인한다.
③ 원산지를 확인한다. 같은 식물 종이라도 각각 다른 나라에서 자라고 생산된 에센셜 오일은 다른 화학적 구성을 가질 수도 있다. 이를 결정하는 요소로 일반적인 기후 조건, 토양의 형태, 유전적 요소(아종, 변종, 아변종 품종, 원예품종, 계통, 영양계) 등이 있다.
④ 추출 방법을 확인한다. 오일을 추출하는 방법에 따라 유기 화합물의 종류와 비율이 달라진다.
⑤ 순도 100% 순수 에센셜 오일인지 섞음이나 다른 화학적 처리가 있었는지 확인한다.

⑥ 추적이 가능한 제조라벨과 사용기한, 유효기간이 표기되어있는지 확인한다. 에센셜 오일 공급자들은 철저히 Batch No. 기록 시스템을 유지해야만 한다. 이 기록은 공급자가 도처에서 입수한 벌크 용기의 에센셜 오일을 받는 시각부터 최종 소비자가 손에 넣은 에센셜 오일 병에 이르기까지 에센셜 오일의 수량과 추적이 가능하다. 이 기록은 최초 생산자의 생산 일자와 관련된 날짜 코드도 포함한다.

⑦ 앰버, 코발트, 보라색 등 차광이 되는 유리병에 넣어 판매하는 것을 고른다.

⑧ 일반적으로 천연 에센셜 오일의 가격대를 벗어나 너무 저렴한 것은 구입하지 않는다. 품질이 낮거나 혼합 물질일 확률이 매우 높다.

⑨ 에센셜 오일은 거의 전량이 수입되고 있으므로 수입 및 원산지 또는 제조사가 분명하게 명시된 것이 우선 믿을 수 있는 제품이라 할 수 있을 것이다.

(3) 에센셜 오일 라벨 읽는 방법

<그림11 에센셜 오일 라벨 읽는 법>
(한국아로마코치협회)

① 용기 재질: 반드시 유리로 된 갈색/파란색 등의 불투명한 병이어야 한다.
② 오일명: 보통 영어로 표기되거나 영문+한글로 함께 표기된다.
③ 학명(식물명): 학명이 제대로 표기되어야 한다.
④ 배치번호: 품질식별번호 Sourcetoyou.com에서 확인 가능
⑤ 원재료명: 단일 오일은 100% 순수 오일이어야 한다.
⑥ 필수 라벨링 법률 요구 사항: 제조일/제조원/판매회사명 등

(4) 에센셜 오일 보관방법 및 주의사항

에센셜 오일은 햇빛, 열, 습도, 보관 용기의 종류 등의 영향을 받으면 향과 색이 쉽게 변질되기 때문에 보관하는 데에도 주의가 필요하다.

① 직사광선은 에센셜 오일을 증발시키므로 암갈색 또는 암청색의 유리병에 보관하고 공기가 잘 통하는 그늘에 보관해야 한다(한여름에는 냉장실 내의 야채실에 보관하는 것도 좋다).

② 에센셜 오일을 소분한 경우, 모든 오일 용기에는 식물명, 공급자명, 학명, 구입 날짜 등을 기록한 라벨을 부착하는 것이 바람직하다. 또한 여러 가지 종류의 오일을 블랜딩 한 경우에도 용기에 식물명, 블랜딩한 날짜 등도 기록하여 보관하는 것이 좋다.

③ 감귤류의 오일은 냉장 보관하면 뿌옇게 변하는 경우가 있다. 손바닥으로 비비거나 온도를 높인 후에 맑게 변하면 사용해도 무방하다.

④ 에센셜 오일은 휘발성이 높고 공기와 접촉하면 산화하여 변질되기 쉽기 때문에 사용한 후에는 뚜껑을 잘 닫아둔다.

⑤ 습기는 에센셜 오일에 좋지 않은 영향을 주기에 습기가 많은 욕실 등에는 보관하지 않도록 한다.

⑥ 가급적 온도 변화가 적은 곳이 좋으며, 대략 15~20도가 적당하다.

⑦ 플라스틱 용기에는 저장하지 않으며 일부 성분은 플라스틱에 흡착되거나 용기를 녹일 수 있다.

⑧ 가연성이 있기에 촛불이나 가스레인지로부터 먼 곳에 두는 것이 좋다.

⑨ 애완동물이나 어린이의 손에 닿지 않는 곳에 보관하여 음용이나 파손 등의 사고를 방지한다.

Chapter 02. 에센셜 오일의 이해

1. 에센셜 오일의 정의

에센셜 오일은 식물의 꽃, 잎, 줄기, 껍질, 뿌리 등에서 추출된 농축된 식물 추출물이다. 이 추출물은 향기를 가지고 있으며, 식물이 가지고 있는 화학 성분을 포함하고 있다. 에센셜 오일은 아로마테라피의 근본이 되는 물질로 향기가 나는 식물(Herb)의 꽃, 잎, 줄기, 뿌리, 열매, 껍질, 수지 등에서 추출한 휘발성 정유(Volatile Oil)를 뜻한다. 달리 표현하면 에센셜 오일은 식물이 가지고 있는 생명력을 그대로 간직한 생명력이 있는 물질이라고 할 수 있다.

에센셜 오일이 추출되는 식물은 방향(芳香)식물이라 불리는 약 3,500종 중약 200여 종이다. 에센셜 오일은 식물의 생존을 위한 자연 반응적 결과물 그 자체다. 대부분의 식물은 외부의 벌레나 기생충으로부터 자신을 보호하고 그것들을 퇴치하고자 하는 성질을 가지고 있다. 또한 번식 및 성장시키는 힘과 병을 치유하고 상처를 아물게 하는 식물 자체의 고유한 자연 치유적 생화학적 성분을 지닌 유기체이다.

다양한 종류의 허브에서 꽃잎, 잎, 뿌리, 씨앗, 열매 등에서 추출되며, 각각의 아로마 에센셜 오일에는 저마다 다른 독특한 생명력, 치유 능력이 담겨 있다. 일반적으로 에센셜 오일은 참기름이나 콩기름같이 식물에서 추출한 원액 기름으로 이해하는 경우가 있지만 엄격한 의미에서 에센셜 오일은 위와 같은 '기름'이라 하기에는 무리가 있다. 통상 지방산의 글리세린, 에스테르를 '기름'이라 하지만 에센셜 오일은 휘발성을 지닌 방향 성분으로, 수십에서 수백 종의 유기 화합물이며, 탄화수소, 알코올, 알데히드, 케톤, 에스테르, 아민, 페놀 등으로 구성되어 있다. 에센셜 오일은 추출 방법이 까다롭고, 수확 시기나 토양에 따라서도 그 효과가 달라지는 등 매우 세심한 주의가 필요하기 때문에 희소가치가 높고 추출되는 양이 전체 식물의 양에 비해 극히 미량이어서 각 오일의 가격은 추출 방법과 희소성, 추출량에 따라 천차만별로 나뉜다.

2. 에센셜 오일의 특성

에센셜 오일은 식물의 꽃, 잎, 줄기, 뿌리 등에서 추출된 휘발성 화합물로 구성되어 있으며 에센셜 오일의 특성은 다음과 같다.

1) 방향성(aromatic)

에센셜 오일은 특유의 향을 가지고 있으며 향을 흡입하면 후각을 자극해서 인간의 감성과 정신, 신체상태에 긍정적인 영향을 끼친다.

2) 고농도(highly concentrated, powerful)

에센셜 오일은 고농도의 원액으로 피부에 직접 바르면 자극이 매우 강하기 때문에, 반드시 캐리어 오일이나 크림 베이스 등에 희석해서 국소에만 사용하는 것이 바람직하다.

3) 알코올 용해성(soluble in alcohol)

에센셜 오일은 알코올에 잘 용해된다. 알코올과 혼합하여 양을 늘리는 경우도 있는데 아로마테라피에는 순수한 에센셜 오일만 사용해야 한다.

4) 지용성(soluble in oil, lipophilic)

에센셜 오일은 지용성이므로 캐리어 오일과 잘 섞이며, 피부에 바를 경우 쉽게 흡수된다. 에센셜 오일은 약간의 친수성이 있지만 물에 용해되지 않고 물 표면에 뜬다.

5) 휘발성(volatile)

에센셜 오일 입자는 공기보다 가벼워서 공기 중으로 빠르게 증발되며, 휘발 속도는 에센셜 오일의 종류에 따라 차이가 있다.

6) 끈적이지 않음(non-greasy)

오일이지만 기름 같은 끈적임이 없으며 일반적으로 촉감이 가볍다.

7) 가연성(flammable)

열과 가까운 곳에 두지 않고 반드시 어둡고 서늘한 곳에 오일병 마개를 단단히 닫아 보관해야 한다.

8) 액체 상태(liquid)

대부분의 오일은 실온에서 액체 상태이다. 단, 로즈오토나 벤조인은 반고형 상태이다.

9) 비싼 가격(expensive)

방향 식물에서 추출한 순수한 오일은 고농도이고, 추출 방법이 노동집약적이므로 비교적 가격이 비싸다.

10) 유기화합물(organic compound)

에센셜 오일은 유기화합물로서 빛, 온도, 공기, 시간에 민감하게 반응하기 때문에 적절한 관리가 필요하다.

3. 에센셜 오일의 추출

천연 아로마물질
아로마 물질을 추출하는 다양한 방법

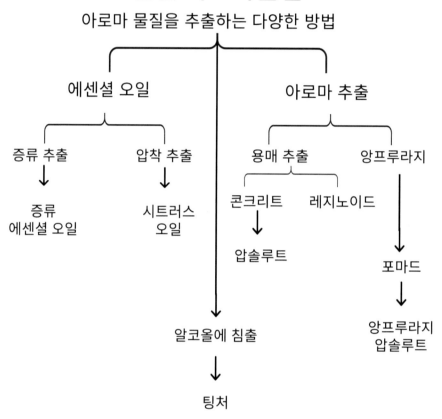

<표4 아로마 물질을 추출하는 다양한 방법>
(한국아로마코치협회)

1) 에센셜 오일의 추출법

　에센셜 오일은 각 식물들이 가지고 있는 특성과 성분에 따라 서로 다른 방법으로 추출되며, 식물의 향기와 효능을 최대한 보존하는 방법이 선택되어 진다.

(1) 압착법

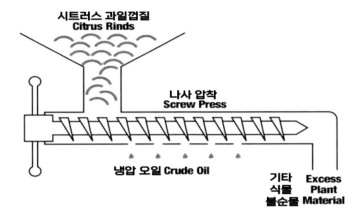

<그림 12 압착법/콜드 프레스>

　　보통 냉압법 또는 냉압착법(Cold Expression)이라 한다. 증기 증류법과 달리 압착 (또는 콜드 프레스) 방식은 열을 가하지 않고 에센셜 오일을 추출하는 방법입니다. 일반적으로 압착 방식은 자몽, 레몬, 라임, 오렌지, 베르가못 등 시트러스 계열 과일의 껍질에서 에센셜 오일을 추출할 때 사용한다. 열에 불안정한 감귤류를 저온에서 처리하는 방법인데 감귤류의 껍질은 매우 약하므로 열을 가하지 않은 상태로 즙을 추출하게 된다. 압착 중에는 과일 껍질이 쇠로 된 실린더를 통과해야 하는데, 이 실린더 안에서 껍질 표면이 갈리면서 에센셜 오일을 함유하고 있는 작은 막이 열리게 된다. 에센셜 오일 막이 열린 후, 에센셜 오일 채취를 위해 과일이 물과 함께 분사된다.

　　물과 과일 혼합물이 필터링 과정에 들어가면서 미처 다 못 걸러낸 껍질을 제거하게 되며 그 후, 원심분리기에서 물과 오일을 분리하는 과정을 거치게 된다. 과거에는 과일의 껍질을 손으로 직접 짜서 스펀지에 모아 오일을 채취했지만 오늘날에는 대부분 기계에 의해 이루어진다. 압착법은 열을 더하는 일이 없이 정유를 추출하므로 다른 추출법으로 얻은 정유보다 좀 더 쉽게 변질될 수 있다는 특징을 가진다. 그렇기 때문에 개봉 후 6개월 이내에 모두 사용하는 편이 좋다.

• 장점: 열에 의한 변질, 손상이 적다.
• 단점: 감귤류만 가능한 추출법으로 다른 방법으로 추출한 오일 보다 휘발성이 강하고 산화, 변질되기 쉽다.

(2) 수증기 증류법(Steam Distillation)

　11세기경 아라비아의 아비세나가 발명한 증류법을 토대로 하여 발전된 것으로 에센셜 오일 추출에는 일반적으로 수증기 증류법을 많이 사용한다. 라벤더, 페퍼민트, 유칼립투스, 로즈마리, 티트리, 캐모마일 등 선제 에센셜 오일 중 80% 이상에 활용하는 방법이다. 로마 시대에 개발된 정유의 추출법으로, 현재는 장치가 훨씬 크고 복잡하게 되어 있지만, 기본 원리는 변하지 않고 있다. 짧은 시간(약 4분~24시간 소요)에 많은 양의 아로마 에센셜 오일을 얻을 수 있다. 증류로 정유에 생산하는 경우 '증기의 압력, 온도, 소요 시간'이 다르기 때문에 잘 증류하기 위해서라면 오랜 기간 생산해 본 경험 또한 필요하다. 아울러 단시간에 고압과 고온으로 증류를 하려 하면 정유는 많이 얻을 수는 있을 것이다. 하지만 품질이 저하되는 악영향을 끼칠 수 있으므로 이 또한 지양하는 것이 좋다. 천천히 증류를 진행하는 편이 양질의 정유를 얻을 수 있는 것이다. 즉, 똑같은 밭의 식물을 사용했다 하더라도 증류가 잘 된 것과 못 된 것의 차이가 분명히 존재하여 전혀 다른 성질의 정유가 되기도 한다.

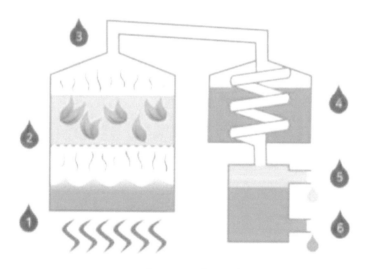

<그림 13 수증기 증류법>

　① 가열: 증류기의 하단에 위치한 물을 가열하여 증기를 발생시킨다. 이 증기는 식물 재료와 상호작용하면서 식물의 향기와 오일을 수증기 형태로 포착한다. 식물 재료 추가 증류기의 상단에 식물 재료를 넣는다.

② 오일 분리: 식물 재료는 직접적으로 물과 접촉하지 않고, 증기에 의해 오일이 분리된다.

③ 증기 냉각: 증기는 증류기의 상단으로 상승하여 냉각기 안에서 식게 되며 액체로 변한다.

④ 증기 분리(상단부): 추출물과 에센셜 오일이 분리된다. 상단부에서는 증기의 냉각 과정에서 에센셜 오일을 액체로 변한다.

⑤ 증기 분리(하단부): 하단부에서는 가정과 미용 제품에 주로 사용되는 추출물인 아로마 워터가 만들어진다

⑥ 분리 및 저장: 추출물과 에센셜 오일을 분리한 후, 에센셜 오일을 적절한 용기에 저장한다. 이때, 에센셜 오일은 어두운 유리 용기나 암흑 보관함에 보관하여 향기와 품질을 보존한다.

(1) 용매추출법(solvents extraction)

① 냉침법(Enfleurage)

가장 오래된 추출 방식 중 하나이다. 과거 로즈나 쟈스민과 같은 섬세한 꽃 종류의 에센셜 오일을 추출하는 방법으로 사용되어왔다. 아로마 향이 함유된 지방 혼합물을 포마드(pomade)라고 하는데, 포마드는 몇 회에 걸쳐 꽃잎을 교환했는가에 따라 포마드 No가 정해지며, 지방을 제거하기 위하여 알코올에 녹여 에센셜 오일을 농축시켜 만든 것이 앱솔루트 이다. 영화 '향수, 어느 살인자의 이야기(2006)'에서 냉침법을 잘 그려내고 있다.

② 휘발성 유기용매 추출법(Extraction with volatile solvent)

솔벤트 추출법, 용제 추출법이라고도 한다. 에센셜 오일 추출법 중 가장 복잡한 공정으로, 고온과 압력에 약해서 끓이기에는 지나치게 예민한 꽃잎이나 아주 딱딱한 씨앗 같은 것을 유기 용매에 녹여 아로마 에센셜 오일을 추출할 때 사용하게 된다. 핵산과 석유 에테르 같은 휘발성이 강한 용제를 이용하여서 밀폐된 공간에서 고형의 오일을 얻게 되는데 이것을 콘크리트라고 한다. 이때 알코올을 사용하여 여러 차례 휘발시키면서 알코올을 제거하고 아로마 에센셜 오일을 얻게 된다. 이렇게 얻어지는 아로마 에센셜 오일들이 앱솔루트(Apsolute)이며, 대표적으로 로즈 앱솔루트, 쟈스민 앱솔루트 등이 있다. 이 방법으로 얻어진 오일에서는 휘발성 유기용매를 완벽하게 분리 추출하여지는 못하기에 앱솔루트가 붙은 오일은 섭취는 불가능하다. 또한 아주 소량에도 알레르기의 원인으로 작용할 수 있으며 독성이 있어서 반드시 알레르기 테스트

를 거친 후에 이용해야 한다.

③ 이산화탄소(초임계) 추출법

모든 물질은 기체, 액체, 고체의 3가지 상태를 취할 수 있다. 물질은 가해지는 온도와 압력에 따라 이 세 가지 형태 중 어느 한 가지 형태를 가지게 되는데, 초임계란 액체와 기체의 구별을 할 수 없는 중간 형태를 말한다. 초임계 이산화탄소는 기체화되어 빠르게 확산하기도 하고 액체처럼 용제가 되기도 한다. 임계 온도는 33도로, 이 온도에서 초임계 이산화탄소는 방향 물질을 가장 잘 녹여낼 수 있다. 또한 쉽게 제거될 수 있어 순도가 높은 에센셜 오일을 얻을 수 있다. 이 방법은 모든 공정을 저온에서 할 수 있기에 열에 매우 약한 에센스 성분을 파괴시키지 않은 채로 그대로 추출할 수 있다는 큰 장점이 존재한다. 또한 기존의 용매 대신 쉽게 기체로 변하는 초임계 이산화탄소를 사용하기 때문에 잔류 용매를 거의 남기지 않으며 짧은 시간, 단 몇 분 안에도 추출해 낼 수 있어 오일의 퀄리티는 매우 우수하고 방향 물질과 용제 사이에서 화학반응도 일어나지 않는다. 그리고 밀폐된 용기 안에서 조작되므로 휘발성 강한 향도 남김없이 모을 수 있어 최종 산물은 식물의 방향 물질 자체에 극히 근접한 것이 된다. 하지만 고압이 필요하기 때문에 이에 맞는 아주 무거운 스테인리스 컨테이너 장치가 있어야 한다는 점이 단점이다. 1980년대 이후 사용되기 시작한 최신의 추출 방법이며, 가장 좋은 방법이지만 추출 과정에서 드는 비용이 가장 높은 추출법 중 하나이다.

④ 온침법

냉침법과 달리 지방이나 캐리어 오일에 식물을 넣어 60-70℃로 가열하는 방식이다. 따뜻한 지방 혼합물에 담겨진 식물을 충분한 시간 동안 방치하며 에센셜 오일과 색소 등의 구성성분이 지방에 녹아든다. 이렇게 식물의 지용성 성분이 흡수된 방향성 지방은 포마드라고 부르며 알코올로 처리하여 앱솔루트를 생산한다.

2) 에센셜 오일의 추출 부위

에센셜 오일은 식물의 방향 성분(에센스)이 함유된 재료에 증기가 압력을 가하여 추출 해내는 것이다. 재료의 부위는 꽃, 잎, 줄기, 열매, 껍질, 수지, 뿌리 등 다양하다.

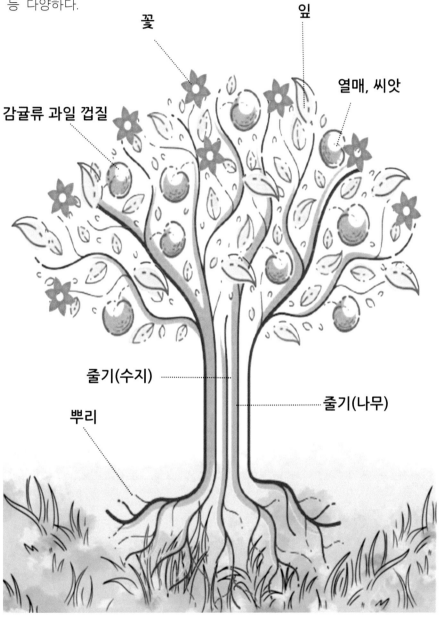

꽃

잎

열매, 씨앗

감귤류 과일 껍질

줄기(수지)

줄기(나무)

뿌리

<그림 14 한국코치협회 아로마트리>

(1) 꽃에서 추출한 에센셜 오일

식물은 꽃을 통해 생식을 위한 씨앗을 생산한다. 향기를 내고 곤충을 유혹하기도 하는데, 이 꽃은 식물에게 그만큼 중요한 부분이다. 플로럴 계열의 오일들은 최음효과를 보이는데 이도, 수분을 위한 생식기로 볼 수 있는 장소가 바로 꽃이기 때문이다. 꽃에서 추출한 오일들은 에스테르 성분 함량이 높기에 향기로우면서도 신경계 안정 효과가 매우 뛰어난 효과를 가진다. 진정과 안정 효과를 보인다. 꽃 에센셜 오일은 생식 기능 강화 및 호르몬 조절, 감정 조절 등에 영향을 미치며, 피부 노화 방지에도 효과적으로 알려져 있다. 대표적인 에센셜 오일로는 로즈, 쟈스민, 네롤리, 일랑일랑, 라벤더, 제라늄 등이 있다.

(2) 뿌리에서 추출한 에센셜 오일

식물에 있어서 뿌리 부분은 사람으로 따지자면 신경계, 즉 뇌의 작용에 해당된다. 따라서 이러한 뿌리에서 추출한 에센셜 오일은 무거운 향을 갖고 있다. 신체를 강하게 하거나 향을 무겁게 하므로 심리적인 안정감을 주게 하는 베이스 노트의 오일이며 대표적으로는 진저, 베티버가 있다. 강한 흙내와 더불어 사람의 원기 회복과 신경계 질환 극복, 정신 강화 및 정서 안정에 도움을 주는 것으로 알려져 있다.

(3) 식물 껍질에서 추출한 에센셜 오일

식물에 있어서 줄기 부분은 크게 두 가지로 나뉜다. 나무의 속껍질이나 심을 모으는 우드계 오일, 껍질에 상터를 내면 나오는 진액을 굳혀서 에센셜 오일로 만드는 수지계 오일이다.

① 우드계 오일

우드계 오일은 샌달우드, 로즈우드, 시더우드 등으로 이름 뒤에 모두 우드가 들어간다는 특징이 있다. 식물에 있어서 나무 부분은 근골격에 해당하므로 오일 자체에서도 근골격 강화 및 순환계 강화에 긍정적인 영향을 미친다. 또한 이러한 강화를 바탕으로 순환계 강화에도 좋은 효과가 있다.

② 수지계 오일

수지계 오일의 경우 상처를 살균하고 소독하며, 세포 재생능력이 탁월하여 상처 치유에 효과적으로 알려져 있다. 또한 호흡기 고통을 완화시킴으로써 호흡기 질환을 극복하는데 도움을 주며, 보습과 피부노화 방지에도 탁월한 효과가 있다고 알려져 있다. 예로부터 수지계 에센스 오일은 귀한 오일로 취급받았는데, 프랑킨센스와 미르, 벤조인 등이 대표적인 오일이다.

(4) 잎에서 추출한 에센셜 오일

잎은 사람으로 치면 호흡기에 해당된다. 호흡기와 관련된 오일은 유칼립투스, 로즈마리, 티트리, 페퍼민트, 타임, 파인, 사이플러스 등이 있다. 잎에서 추출한 에센셜 오일을 통해 호흡이 안정되면 심장박동도 안정되면서 순환이 촉진되고 자체적인 면역력도 강화되는 긍정적인 효과가 있다.

(5) 감귤류 과일 껍질에서 추출한 에센셜 오일

감귤류 과일의 껍질에는 그 열매의 상큼함과 달달함이 배어 나오기 때문에 향 자체만으로도 기분이 좋아지는 효과를 가지고 있다. 뿌리 에센셜 오일의 원기회복과는 다르게 껍질 에센셜 오일의 원기 왕성은 긍정적인 기분을 만들어 준다. 이러한 껍질류의 에센셜 오일은 시트러스계인 레몬, 오렌지, 버가못, 만다린, 자몽 등이 있다. 앞에서 언급한 시트러스계 오일은 햇빛에 반응하여 감광선 작용을 유발할 수 있어 햇빛에 나가기 12시간 전에 미리 바르는 것이 좋다.

(6) 열매·씨앗에서 추출한 에센셜 오일

식물의 열매는 자연에서의 생존과 번식을 위한 중요한 전략 중 하나이다. 열매는 식물이 자신의 종을 다음 세대로 전달하기 위해 씨앗을 멀리 퍼뜨리는 기능을 한다. 새나 다른 동물들이 열매를 먹고 이동하면서 씨앗을 다른 곳에 배설하게 되는데, 이를 통해 식물은 더 넓은 지역에 자신의 종을 퍼뜨릴 수 잇게 된다. 그 방법 중 하나가 동물의 열매 섭취와 배설 과정이다. 따라서 식물의 열매는 소화를 촉진하고 이뇨작용을 증가시키는 효과를 가지고 있다. 대표적인 오일로는 펜넬, 코리안더(고수), 주니퍼베리, 블랙페퍼 등이 있다.

추출부위	효능	오일
꽃	생식기능 강화, 감정조절, 호르몬 조절, 피부노화, 재생	로즈, 쟈스민, 네롤리, 일랑일랑, 캐모마일, 라벤더, 제라늄
잎	호흡기 강화, 면역력 강화, 순환 촉진	유칼립투스, 로즈마리, 마조람, 티트리, 페퍼민트 타임, 파린, 사이프레스
과일 껍질	기분 전환, 세정, 기력증진	레몬, 오렌지, 베르가못, 만다린 그레이프루트,
열매 씨앗	소화촉진, 비뇨기, 해독작용	펜넬, 코리엔더, 주니퍼베리
목재	근골격 강화, 비뇨 생식기 강화, 순환계 강화	센달우드, 로즈우드, 시더우드
뿌리	원기회복, 신경계 질환, 정신강화, 안정	진저, 베티버
줄기 (수지)	상처치유, 살균, 소독, 심신안정, 호흡기 질환, 피부보습, 노화예방	몰약(미르), 유향(프랑킨센스), 벤조인, 코파이바

<표 5 에센셜 오일 추출 분위에 따른 효능과 대표 오일>

4. 에센셜 오일과 블랜딩

각각의 에센셜 오일을 조합하거나 캐리어 오일 등에 희석하는 것을 블랜딩(Blending)이라고 한다. 블랜딩은 개인의 심신 상태와 선호도, 증상과 용도에 따라 달라지며 이는 아로마테라피의 대한 지식과 경험, 감각이 요구된다. 에센셜 오일은 단독으로 사용하기도 하지만 시너지 효과를 위해 증상과 용도에 따라 혼합하여 사용하기도 한다. 각각의 에센셜 오일이 가진 효능의 합보다 더 많은 효능을 발휘할 수 있다는 것이다.

시너지 블랜딩을 위해서는 관리하려는 증상, 증상이 나타나게 된 심리적·신체적·정서적 요인까지 염두에 두어야 한다. 아울러 오일에 대한 풍부한 지식과 적용법, 임상경험까지 필요하다.

블랜딩할 때 가장 많이 활용되는 것은 캐리어 오일이다. 캐리어 오일은 에센셜 오일을 효과적으로 흡수시키기 위해 사용되는 식물성 오일을 뜻하며 불포화지방산이 많이 함유되어 있고 공기 중에 노출 시 산화될 수 있다. 캐리어 오일과 함께 블랜딩한 오일은 6개월 이내에 사용하는 것이 좋으며, 혼합한 오일은 1~2일 숙성시킨 후 사용하면 된다.

에센셜 오일은 각각 고유한 특성과 효과를 가지고 있다. 블랜딩 할 때는 오일을 통해 얻고자 하는 효과에 맞는 에센셜 오일과 캐리어 오일을 선택해야 한다. 예를 들어 보습이 필요한 경우엔 로즈힙 오일과 캐리어 오일을 조합할 수 있고 진정 효과가 필요한 경우엔 라벤더 오일과 캐모마일 오일을 블랜딩 할 수 있다.

에센셜 오일과 캐리어 오일의 조합은 개인의 취향과 목적에 따라 다양하게 사용되지만 안전한 사용을 위해서는 사전 피부테스트와 적절한 농도 조절을 유의하고 필요한 경우 전문가의 조언을 받는 것이 좋다.

1) 블랜딩 오일의 선택 기준 및 농도 기준
- 증상이 어떠한가?
- 건강 상태는 어떠한가?
- 심리 상태 및 향의 선호도 파악

2) 에센셜 오일 용량 계산법
- 1=20방울, 10ml=200방울, 100ml=2000방울
예) 만약 10ml의 캐리어 오일에 1% 블랜딩이라고 한다면 200방울의 1%인 2방울을 블랜딩한다.

이 블랜딩 방법은 베이스 오일에만 사용되는 것이 아니라 크림이나 로션, 비누에도 같은 방법으로 적용된다.

3) 블랜딩 희석농도의 기준(일반 성인 기준)

피부에 직접 사용할 때는 보통 1~2%의 농도로 희석하여 사용한다. 예를 들어 1%의 농도로 희석하려면 1방울의 에센셜 오일을 1티스푼의 캐리어 오일에 혼합한다. 민감한 피부의 경우 더 낮은 농도로 희석해서 사용하거나, 전문가의 조언을 받는 것이 좋다.
- 얼굴: 베이스 양의 1% 미만
- 몸(전신): 베이스 양의 3~4%
- 몸(부분): 베이스 양의 3~7%
- 국소부위: 베이스 양의 7~10%
- 목욕: 5~8방울
- 근육통, 관절염, 신경통: 5방울 이하
- 좌욕: 2~3방울
- 족욕: 2~5방울(약 15~20분)
- 발향: 1~6방울(디퓨저)

4) 연령별 희석 농도(몸 기준)
- 1세 미만: 하이드로졸이나 발향 위주가 좋음
- 3세 미만: 베이스 양의 0.5% 이하
- 7세 미만: 베이스 양의 0.5~1%
- 65세 이상: 평균 성인 사용량의 50%

5) 블랜딩 시 주의사항

(1) 대체로 같은 식물 종의 에센셜 오일과 블랜딩 하면 무난하며 향의 느낌에 따라 잘 어울리는 계열의 에센셜 오일을 블랜딩한다.

(2) 조화로운 향의 블랜딩을 위해 에센셜 오일의 노트를 고려하여 균형있게 배합한다.

(3) 선택한 에센셜 오일에 대해 미리 테스트를 하여 알레르기가 없는지 확인하고, 개인의 취향에 맞는 향을 선택한다.

(4) 처음 블랜딩 할 때는 2~3가지의 오일로 시작하며, 5가지 이상의 오일을 블랜딩하게 된다면 시너지 효과가 떨어질 수 있다. 에센셜 오일 블랜딩 비

율에 따라 베이스 노트, 미들 노트, 톱 노트 순으로 넣고 나머지는 캐리어 오일로 채운다. 블랜딩 이후 향을 맡아본 뒤 너무 강하거나 약할 경우 구성 비율을 다시 조정한다.

(5) 캐리어 오일은 산화·부패되기 쉬우므로 항산화 작용이 강한 에센셜 오일과 혼합한 상태의 오일을 만들어 보관하는 것도 좋은 방법이다.

6) 에센셜 오일의 색깔과 노트(Notes)

에센셜 오일의 특유의 향과 함께 다양한 색깔과 노트를 가지고 있다. 에센셜 오일의 색깔과 노트는 오일의 특성을 이해하고 효과적으로 사용하는 데 아주 중요한 역할을 한다.

(1) 에센셜 오일의 색깔

에센셜 오일의 색깔은 오일을 구성하는 화학 성분에 따라 달라진다. 대부분의 에센셜 오일은 무색에서 약한 노란 색을 띠지만, 특정 성분 때문에 독특한 색이 나타나는 오일도 있는데 그 대표적인 예가 카모마일 오일이다. 카모마일 오일은 파란색을 띠는데 그 이유는 오일 안에 '카마줄렌(Chamajulene)'이라는 화학 성분을 때문이다. 이 성분은 항염 및 진정 효과가 있어, 피부 질환 치료에 굉장히 유용하다. 에센셜 오일은 빛에 민감하기 때문에 빛을 차단하는 차광 용기에 보관하는 것이 좋다.

(2) 에센셜 오일의 노트

에센셜 오일의 노트를 구분하는 것은 향의 복잡성과 다양성을 이해하고 조화로운 향기를 이루기 위한 방법이다. 19세기 프랑스인 피쎄(Piesse)는 향을 음표(note)처럼 분류함으로써 향수 제조에 새로운 접근을 시도했다. 피쎄는 유사한 성질의 향이 혼합되었을 때 각각의 향이 조화로움을 이룬다고 생각했다. 에센셜 오일은 휘발성이 강한 성분으로 구성되어 있으며 이러한 성분들은 발향 속도와 지속 시간이 다르기 때문에 이를 통해 노트를 구분하게 되었다. 이상적인 향의 조합은 톱, 미들, 베이스 노트의 조화를 이루는 것을 의미한다.

① 톱 노트(Top Notes)

향을 휘발하는 속도에 따라 나누었을 때 가장 먼저 맡을 수 있는 향이다. 비교적 가벼운 화학 성분으로 구성되어 있어 휘발 속도가 가장 빠르므로 '처음 맡을 수 있는 향'이라는 뜻에서 퍼스트 노트(first notes), 헤드 노트(head notes)라고도 한다.

- 특징: 가볍고 신선한 향이 특징이며, 처음에 강하게 느껴지지만 빠르게 사라진다.
- 대표 오일: 바질, 버가못, 시트로넬라, 크라리세이지, 코리앤더, 유카립두스, 진저, 그레이프프루트, 레몬, 레몬그라스, 라임, 만다린, 니라울리, 네롤리, 오렌지, 스피어민트, 페티그레인, 티트리, 타임, 페퍼민트 등

② 미들 노트(Middle Notes)

블랜딩한 오일에서 휘발 속도가 두 번째로 강한 오일 향으로 중향이라고도 하며 신체의 물질대사 기능을 촉진한다. 오일을 블랜딩할 때 향의 이미지와 콘셉트를 결정짓는 중요한 역할을 한다고 해서 소울 노트(soul notes), 하트 노트(heart notes)라고도 한다. 톱 노트와 베이스 노트의 중간 단계로 향이 조화를 이루도록 돕는 역할을 하며 향의 지속 시간은 5~6시간부터 길게는 약 2~3일 이다. 블랜딩할 때 전체 오일의 50~80% 정도 사용할 수 있다.
- 특징: 에센셜 오일의 '심장'으로 불리며, 톱 노트가 사라진 후에 느껴지는 향이다. 향기의 본질을 나타내며 조화를 이루는 역할을 한다.
- 대표 오일: 라벤더, 로즈마리, 마조람, 멜리사, 파인, 로즈우드, 진저, 제라늄, 사이프러스, 펜넬, 헬리크리섬, 히솝, 블랙페퍼 등

③ 베이스 노트(Base Notes)

비교적 크고 무거운 화학 성분으로 이루어져 있어 휘발 속도가 가장 느리고 혼합한 향에서 마지막까지 맡을 수 있는 향이라 하여 라스트 노트(last notes), 보텀 노트(bottom notes)라고도 한다. 이 오일들은 잔향이 은은하게 오래가기 때문에 적은 양을 넣어도 충분히 맡을 수 있을 만큼 깊이 있는 향을 가지고 있고, 블랜딩한 향을 묵직하게 잡아주는 역할을 한다. 진정과 이완 작용이 뛰어나 정신적 스트레스를 완화하고 심신을 편안하게 하는 효과가 있으며 향의 지속시간은 5~6시간부터 길게는 1주일 정도이다. 잔향이 오래가고 향이 강하므로 전체 오일의 5% 미만으로 사용한다.
- 특징: 무거운 향으로 가장 오래 지속되며 향의 깊이를 더한다. 향기의 기반을 형성하며 지속성이 높다.
- 대표 오일: 벤조인, 시더우드, 시나몬, 클로브, 프랑킨센스, 쟈스민, 미르, 패출리, 로즈, 샌달우드, 베티버, 일랑일랑 등

Chapter 03. 에센셜 오일 각론

1. 그레이프 푸르트(Grapefruit)

- 학명: Citrus Paradisi
- 향 노트: 탑 노트
- 추출 부위: 열매, 껍질
- 추출 방법: 압착법
- 원산지: 프랑스, 아시아 등

● 심리적 효과 - 고양 효과와 상쾌함을 주는 효과가 있어 우울하고 스트레스 상태의 마음을 안정시키고, 행복감을 주어 균형을 잡아준다.
● 신체적 효과 - 피로, 시차 적응에 도움이 되 아침에 일어나기 힘들 때 좋은 오일이다. 병환 중 환자의 특유의 냄새 완화에 도움이 된다.
● 피부에 대한 효과 - 지성 피부, 여드름 수렴, 정화 효과가 있다.
※ 주의사항 : 공표된 부작용은 없으나 아주 드물게 약간의 감광성의 원인이 될 수도 있다.

2. 네롤리(Neroli)

- 학명: Citrus aurantium
- 향 노트: 미들 노트
- 추출 부위: 꽃잎
- 추출 방법: 증기 증류법, 용매 추출법
- 원산지: 중국, 인도, 이탈리아 등

● 심리적 효과 - 우울증, 스트레스성 불면증과 불안을 완화시킨다. 히스테리, 쇼크 상태를 진정시키고 신경통을 덜어준다.
● 신체적 효과 - 신경성 대장염이나 설사 증상, 특히 긴장성 만성 설사 증상이 도움이 된다. 정맥에 도움을 주고 고혈압 및 심계항진증 완화에 도움이 된다.
● 피부에 대한 효과 - 세포재생과 탄력증진에 효과가 있어서 건성, 노화피부, 흉터, 주름살, 임신선, 실핏줄, 습진, 건선에 도움이 된다.
※ 주의사항 : 정신 집중이 필요할 때 사용 시 주의가 필요하다.

3. 니아울리(Niaouli)

- 학명: Melaleuca viridiflora
- 노트: 탑 노트
- 주출 부위: 잎
- 추출 방법: 증기 증류법
- 원산지: 호주, 마다가스카르

• 심리적 효과 - 정신을 자극하여 고양 시키고, 머리를 맑게 해주는 작용을 한다.

• 신체적 효과 - 진통 효과로 류머티즘, 근육통 완화시키고, 거담 및 항균 효과가 있어 천식, 기침, 기관지염 등에 효과가 있다. 백혈구와 항체 활성을 증가시키므로 감기, 독감과 같은 감염증에 도움이 된다.

• 피부에 대한 효과 - 가벼운 상처와 화상, 베인 곳, 여드름, 종기 벌레 물린 곳에 효과적이다.

4. 라벤더(Lavender)

- 학명: Lavandula angustifolia
- 노트: 미들 노트
- 추출 부위: 꽃
- 추출 방법: 증기 증류법
- 원산지: 프랑스 및 영국 등

• 심리적 효과 - 스트레스, 불면증, 분노를 이완시키고, 두통, 편두통, 긴장 쇼크를 완화한다, 감정을 균형을 맞추어 우울감을 덜어주므로 조울증 환자에게 탁월한 효과가 있다.

• 신체적 효과 - 감통효과로 근육통, 류마티즘, 삔 곳, 성장통으로 인한 통증 완화 및 스트레스 관련 심계향진을 낮춰준다. 또한 생리통을 완화시키고 스트레스로 인한 과민성 대장증상, 신경성 위통 등에 유용하다.

• 피부에 대한 효과 - 지성 피부에 피지균형을 맞춰주고 상처나 임신선에 세포성장을 강화하고 빠른 치유를 도와준다. 화상, 일광화상, 피부염에 효과적이다.

※ 주의할 점 : 임신 초기에는 사용을 지양하는 것이 좋다.

5. 라임(Lime)

- 학명: Citrus aurantiifolia
- 노트: 탑 노트
- 추출 부분: 과일 껍질
- 추출 방법: 압착법
- 원산지: 이탈리아

● 심리적 효과 - 걱정과 근심을 덜어 우울증을 완화 시키고 활력을 준다.

● 신체적 효과 - 소화액 분비를 자극하여 식욕부진과 소화불량에 유용하다. 혈액을 정화 시키고 혈압을 낮추며 외출혈 지혈에 도움이 된다. 감기, 목감기 증상을 완화 시키고 감기로 인한 열을 낮춰주는 효과가 있다.

● 피부에 대한 효과 - 항균, 수렴 강장 및 피지 과다 생성을 조절하여 여드름과 지성 피부에 쓰인다. 손상된 손톱이나 피부 상처 구강 궤양 등에도 사용한다.

※ 주의할 점: 버갑텐(bergapten, 광독성을 일으키는 화합물) 함량이 높아 사용 직후 햇빛에 노출되면 붉은 반점 등이 생기는 광과민성 반응을 일으키므로 주의해야 한다.

6. 레몬(Lemon)

- 학명: Citrus limonum
- 노트: 탑 노트
- 추출 부분: 과일 껍질
- 추출 방법: 압착법
- 원산지 : 아시아와 인도 등 전 세계

● 심리적 효과 - 분노, 과잉행동, 과도하게 감정적인 상태에 도움이 된다. 마음이 상쾌해지고 새로워진다.

● 신체적 효과 - 혈액을 정화 시키고 순환을 향상시켜 부종과 셀룰라이트 감소에 도움이 된다. 구연산이 풍푸함에도 불구하고, 소화를 돕고 소화불량 및 궤양의 문제가 될 수 있는 과도한 위산 문제에 도움을 줄 수 있다. 백혈구 생산을 담당하는 면역계를 자극하여 활성화시킨다.

● 피부에 대한 효과 - 각질 제거에 도움을 주고, 과다한 피지 생산을 막는 수렴 효과가 있어 지성피부나 지루성 모발에 도움을 주며 항균 효과로

여드름, 사마귀, 종기 등의 치료에 활용된다.

※ 주의할 점: 민감한 피부에는 소량만 사용하고 광과민성 반응에 주의가 필요하다.

7. 레몬그라스(Lemongrass)
 - 학명: Cymbopogon citratus
 - 노트: 탑 노트
 - 추출 부분: 식물 전체
 - 추출 방법: 증기 증류 추출법
 - 원산지 : 인도, 중앙아프리카, 열대아시아

 • 심리적 효과 - 우울한 기분을 상쾌하게 하며 스트레스 등으로 지친 마음에 활력을 불러 일으킨다. 머리를 맑게 하고 집중력을 강화시키거나 논리적 판단을 할 때도 도움을 준다.
 • 신체적 효과 - 젖산을 배출하여 근육통을 완화시킨다. 소화기를 자극하여 소화 불량, 헛배 부름, 소화기통증을 완화시킨다. 노폐물 배출을 촉진시키며 해열 작용으로 면역계에 도움을 준다.
 • 피부에 대한 효과 - 수렴 작용이 강해 모공을 수축, 정화시키므로 여드름과 지성 피부에 도움을 주며 살균 및 제충효과로 머릿니나 벌레를 쫓을 때 사용하기도 한다.

※ 주의할 점: 피부를 자극하므로 캐리어 오일과 함께 사용하거나 산화되면 피부 자극이 심해짐으로 보관에 주의해야 한다.

8. 로즈(Rose)
 - 학명: Rosa centifolia, Rosa damascena, Rosa gallica
 - 노트: 미들노트, 베이스 노트
 - 추출 부분: 꽃
 - 추출 방법: 증기 증류법, 용매추출법
 - 원산지: 불가리아, 터키, 프랑스

 • 심리적 효과 - 항우울 효과가 매우 뛰어나고 스트레스, 신경성 긴장 등을 완화시킨다. 긍정적인 자신감을 주어 질투, 슬픔의 상태에서 균형을 잡아 준다.

● 신체직 효과 - 자궁 및 생리 관련 승상을 정상화시키고, 장 건강 증진에 효과적으로 알려져 있으며 발기 부전에 도움이 된다. 위를 강화하고 스트레스로 인한 구토, 변비, 소화 불량 등에 효과가 있다.

● 피부에 대한 효과 - 건성, 피부노화, 주름살, 습진에 효과적이다.

※ 주의할 점: 임산부는 사용을 금하며 고가의 오일이기 때문에 정확한 판매자를 찾아 구매할 필요가 있다.

9. 로즈마리(Rosemary)

- 학명: Rosmarinus officinalis
- 노트: 미들 노트
- 추출 부분: 꽃과 잎
- 추출 방법: 증기 증류법
- 원산지: 지중해 연안, 이탈리아, 스페인, 프랑스

● 심리적 효과 - 마음을 정리해주고 무기력 상태를 정리해 준다. 정신적인 무력감 및 피로를 완화, 두뇌활동 및 활성화에 도움, 기억력, 집중력에 도움을 준다.

● 신체적 효과 - 혈액순환에 도움, 혈압을 상승시켜 저혈압에 도움, 만성피로, 호흡기, 염증에 도움, 어깨 결림, 류머티즘, 근육통 등의 각종 통증에 도움을 준다.

● 피부에 대한 효과 - 수렴 효과, 피부를 맑고 탄력 있게 해줌. 모발의 성장과 두피 관리에 도움, 비듬 제거에 효과적, 지성피부, 여드름 피부에 도움을 준다.

※ 주의할 점: 간질병 환자나 고혈압 환자, 임산부는 사용하지 말아야 한다.

10. 로즈우드(Rosewood)

- 학명: Aniba rosaeodora
- 노트: 미들 노트
- 추출 부분: 줄기
- 추출 방법: 증기 증류법
- 원산지: 브라질, 페루 등

● 심리적 효과 - 오심을 동반한 편두통, 비행시차증 등에 도움을 주며 중

추 신경계를 안정시켜 전반적인 균형 조절을 해주고, 심한 우울 완화에 매우 효과적이다.

● 신체적 효과 - 면역성을 개선 시켜 감기, 독감, 감염 등으로부터 예방, 치유에 도움을 준다. 마일드한 최음 효과로 성적인 문제 해결에 도움이 된다.

● 피부에 대한 효과 - 세포 생육 촉진 및 보습 효과가 있어 노화, 주름살 피부 개선에 효과적이 염증성 질환에도 강장 효과가 있다.

11. 마조람(Marjoram)
- 학명: Origanum marjorana
- 노트: 미들 노트
- 추출 부분: 잎
- 추출 방법: 증기 증류법
- 원산지: 스페인, 프랑스, 지중해 인근

● 심리적 효과 - 감정을 진정, 편안하게 해줌, 정신적인 피로에 도움, 스트레스와 관련된 두통, 불면, 자율신경의 불균형에 효과적이다.

● 신체적 효과 - 근육경련 관절통, 염좌에 도움, 근육 이완에 효과적이어서 운동 전후에 도움, 장의 연동운동을 도와 위경련, 변비, 소화 불량완화에 도움을 준다.

● 피부에 대한 효과 - 혈액의 흐름을 도와 멍든 피부 및 가벼운 동상 회복, 진균성 피부염, 여드름, 지성피부에 도움이 된다.

※ 주의할 점 : 임산부는 사용에 주의를 요구하며 저혈압이나 집중을 요하는 일을 할 때 피하는 것이 좋다.

12. 만다린(Mandarin)
- 학명: Citrus madurensis
- 노트: 톱노트, 미들 노트
- 추출 부분: 과일 껍질
- 추출 방법: 압착법
- 원산지: 남중국, 동남아시아

● 심리적 효과 - 걱정 근심을 덜어주며 심리적인 안정감을 준다. 어린이

진정효과로 과잉행동장애에 도움이 된다.
- 신체적 효과 - 식욕촉진, 순환개선으로 과도한 체액 정체를 해소. 임신 중 사용 가능한 오일, 출산 스트레스 해소, 셀룰라이트 제거에 효과적이다.
- 피부에 대한 작용 - 세포 성장을 촉진, 흉터나 임신 중 튼 살 방지에 효과적, 수렴 효과로 여드름, 지성 피부에 좋다.

※ 주의할 점 : 광과민성 반응에 주의가 필요하다.

13. 미르(Myrrh) / 멀
- 학명: Commiphora myrrha/Mytus communis
- 노트: 미들 노트
- 추출 부분: 잎
- 추출 방법: 증기 증류법, 용매추출법
- 원산지: 아프리카와 아라비아반도, 인도 등

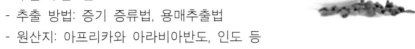

- 심리적 효과 - 마음을 안정시키며, 혼란한 마음을 정리시키고 차분하게 해준다. 의욕을 불러일으키는 효과가 있다.
- 신체적 효과 - 식욕부진, 헛배 부름, 설사 등을 완화 시킨다, 자궁의 염증에 주로 쓰이며, 여성의 질염 백대하, 칸디다증에 적용하고 생리를 정상화 시키는데 도움이 된다.
- 피부에 대한 효과 - 갈라지거나 트는 피부, 상처, 습진, 진균성 피부질환, 치질관리에 유용하다.
※ 주의할 점: 임신 중에는 사용을 금한다. 배출에 오랜 시간이 소요되기 때문에 장기간 사용을 금해야 한다.

14. 멜리사(Melissa) / 레몬밤
- 학명: Melissa officinalis
- 노트: 미들 노트
- 추출 부분: 식물 전체
- 추출 방법: 증기 증류법
- 원산지: 지중해 연안

- 심리적 효과 - 과민상태에서 진정 효과가 있어 우울증, 불안, 쇼크, 편

두통, 불면증, 편집증 등에 도움이 되며, 위기 상황이나 이상 후 정신적 충격에서 회복하도록 도와준다.

● 신체적 효과 - 장 내 가스 배출을 돕고 멀미나 유아들의 배앓이에 효과가 있어 특히 아이들에게 사용하기 좋다. 생리 전 증후군이나 갱년기장애와 연관된 우울증을 완화 시키고 강경련성이 있어 생리통을 덜어주며 생리 정상화에 도움을 준다.

● 피부에 대한 효과 - 알러지 반응을 막거나 진정시켜주며 피부염이나 습진, 벌레에 쏘였을 때 효과적이다.

※ 주의할 점: 임신 중에는 사용하지 말고, 민감한 피부에도 자극적이므로 가급적 사용하지 않는다. 고가의 오일이라 섞음질이 흔하게 일어나므로 구입시 신경을 써야한다.

15. 바질(Basil)
- 학명: Ocimum Basilicum
- 노트: 톱 노트
- 추출 부분: 꽃과 잎
- 추출 방법: 증기 증류법
- 원산지: 열대아시아, 이탈리아, 프랑스 등

● 심리적 효과 - 정서적으로 따듯하게 해주는 효과가 있다. 정신을 맑게 하여 피로와 긴장을 완화 시키는데 효과적이다. 뇌 기능을 강화시켜 수험생의 집중력을 도와주는 데 유용하다.

● 신체적 효과 - 항경련 작용으로 근육의 긴장감을 풀어주고, 생리를 정상화시키는데 도움을 준다. 부비강염 등 기관지계 질환에 코막힘 등에 효과가 있다.

● 피부에 대한 효과 - 피부를 탄력있게 해주며, 여드름 조절에 도움을 준다. 모발 성장을 자극하고 머릿결을 건강하게 만든다.

16. 베르가못(Bergamot)
- 학명: Citrus bergamia
- 노트: 톱 노트
- 추출 부분: 과일 껍질
- 추출 방법: 압착법

- 원산지: 아시아, 이탈리아

  • 심리적 효과 - 심신안정, 긴장감 해소, 화 조절, 우울증 해소, 기분 고양, 스트레스 관련 질병에 도움이 된다.
  • 신체적 효과 - 해열, 감기, 편도선염, 후두염 등 감염성 질병에 도움, 식욕부진, 구풍, 소화불량, 헛배 부름에 효과, 방광염, 질염, 이뇨관 감염, 살균 효과에 도움이 된다.
  • 피부에 대한 효과 - 습진, 건선, 여드름에 도움, 지성피부에 도움, 화상, 동상 궤양, 상처, 헤르페스 등에 도움이 된다.
※ 주의할 점 : 광과민성 반응에 주의해야한다.

17. 베티버(Vetiver)
 - 학명: Vetiveria ziznioides
 - 노트: 베이스 노트
 - 추출 부분: 뿌리
 - 추출 방법: 증기 증류법
 - 원산지: 인도 남부와 남아메리카, 자바, 아이티 등 적도 지역

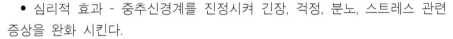

  • 심리적 효과 - 중추신경계를 진정시켜 긴장, 걱정, 분노, 스트레스 관련 증상을 완화 시킨다.
  • 신체적 효과 - 적혈구를 강화시키고, 혈류량을 증진시켜 류머티즘이나 관절염의 근육 통증을 덜어준다. 갱년기 장애의 안면 홍조나 산후우울증 등에 호르몬 분비 균형을 조절하는 효과가 있다.
 • 피부에 대한 효과 - 피부나 상처 임신선에도 효과적이다.

18. 벤조인(Benzoin)
 - 학명: Styrax benzoin
 - 노트: 베이스 노트
 - 추출 부분: 수지
 - 추출 방법: 증기 증류법. 용매추출법
 - 원산지: 수마트라, 자바, 태국

 • 심리적 효과 - 도취감을 주고 기분을 전환할 수 있도록 도와준다.

• 신체적 효과 - 워밍 효과로 인해 류머티즘 관절염과 통풍으로 인한 염증을 감소시킨다. 항염 작용이 있어 방광염에 사용할 수 있다.

• 피부에 대한 효과 - 염증을 감소시키고 피부염, 갈라진 피부 등의 증상을 완화시킨다. 습진에 효과적이다.

※ 주의할 점 : 집중력이 필요할 때나 잔류 용매로 인해 민감성 피부에는 주의가 필요하다.

19. 사이프러스(Cypress)

- 학명: Cupressus sempervirens and lusitanica
- 노트: 미들~베이스 노트
- 추출 부분: 열매
- 추출 방법: 용매추출법, 증기 증류법
- 원산지: 지중해 동부 사이프러스 섬, 스페인, 프랑스, 포르투칼 등

• 심리적 효과 - 긴장 완화 효과가 있어 화를 잘 내는 사람에게 효과가 좋다. 질투심, 집착 또는 고독감, 후회 등의 심리상태를 완화시킨다.

• 신체적 효과 - 수렴 및 이뇨 작용을 한다. 셀룰라이트와 체액 정체에 사용하면 좋다. 혈관 수축을 도와주어 정맥류, 치질 등을 완화시키고, 생리 관련 문제들을 정상화시킨다.

• 피부에 대한 효과 - 수분 손실, 땀, 등을 조절하여 정상화 시키는 효과가 뛰어나 다한증, 지성 피부와 상처 회복에 도움이 된다.

※ 주의할 점 : 식물성 에스트로겐 작용을 하여 생리를 정상화시키는데 도움을 주는 오일이므로, 임신 중에는 사용을 금한다.

20. 샌달우드(Sandalwood)
- 학명: Santalum album / Santalum paniculatum
- 노트: 베이스 노트
- 추출 부분: 나무 줄기, 심재, 잎
- 추출 방법: 증기 증류 추출법
- 원산지: 동인도, 스리랑카, 호주

• 심리적 효과 - 긴장을 이완시키고, 스트레스와 불면증과 분노를 완화시키는데 효과가 있다. 강박관념이 있거나, 과거에 대한 집착을 완화시키고 편안

하게 받아들일 수 있도록 도와준다.

 • 신체적 효과 - 만성적 마른 기침을 진정, 완화시키고 가래 배출을 돕는다. 신장을 정화하는 효과로 신장염, 방광염에 사용할 수 있다. 항염 및 수렴 효과로 정맥류와 림프절 부기 등에 도움이 된다.

 • 피부에 대한 효과 - 모세혈관 파열로 인한 피부의 붉은 기운을 가라앉히고 감소시킨다. 살균력이 뛰어나 여드름, 종기, 감염 상처에도 좋다.

※ 주의할 점 : 우울한 상태에서는 사용하지 않도록 권장한다.

21. 시나몬(Cinnamon)

- 학명: Cinnamomum zeylanicum
- 노트: 베이스 노트
- 추출 부분: 꽃, 나무 껍질, 잎
- 추출 방법: 증기 증류법
- 원산지: 스리랑카, 인도, 동남아시아

 • 심리적 효과 - 매우 따뜻한 오일로 무기력증이나 우울증에도 도움이 된다. 특히 노인들에게 추운 겨울에 강장 효과를 낼 때 사용한다.

 • 신체적 효과 - 뛰어난 소화 자극 효과가 있으며 경련을 진정시키고 설사, 구토 증상을 완화시킨다. 항균 효과가 있으며 항염 작용으로 관절염과 호흡계에 도움이 된다.

 • 피부에 대한 효과 - 습진이나, 감염증, 가려움증에 효과가 있다.

※ 주의할 점: 임산부는 사용을 피해야 하며 다량 사용 시 경련을 일으킬 수 있다.

22. 시더우드(Cedarwood)

- 학명: Juniperus virginiana / Cedrus atlantica
- 노트: 베이스 노트
- 추출 부분: 나무 전체
- 추출 방법: 증기 증류법
- 원산지: 아프리카 알제리, 모로코

 • 심리적 효과 - 불안, 스트레스, 긴장, 정신적 피로 등에 효과적이다.
 • 신체적 효과 - 순환을 활성화 시켜 관절염, 통증, 뻣뻣함을 완화시킨다.

요로관이나 질 감염증, 방광염, 소양증 완화에 도움이 된다. 림프 배출을 증가시키고 순환 이뇨 작용으로 부종 및 셀룰라이트 치료에 사용한다.

● 피부에 대한 효과 - 진정, 항염 작용으로 여드름, 습진, 피부궤양 및 피부염 치료에 좋으며 곰팡이성 감염증, 피지 과잉 분비로 인한 비듬, 탈로, 두피질환에 효과가 있다.

※ 주의할 점: 임신 중에는 사용을 피해야 하며, 고농도로 사용하면 피부를 자극한다.

23. 오레가노(Oregano)
- 학명: Origanum vulgare
- 노트: 꿀풀과
- 추출 부분: 꽃과 잎
- 추출 방법: 증기 증류법
- 원산지: 지중해 연안

● 심리적 효과 - 정신질환, 무기력감, 권태감 해소에 도움, 스트레스와 불면증 완화에 효과적이다.

● 신체적 효과 - 각종 궤양, 낭종, 독감, 버짐, 사마귀 등에 도움, 소화불량, 식욕 감퇴에 도움, 장내 기생충 퇴치, 단순포진, 대상포진, 발톱 무좀 등에 효과적, 포도상구균 감염 등의 염증 질환 억제에 효과가 있다.

● 피부에 대한 효과 - 가려움증, 곰팡이성 피부질환, 무좀, 여드름 등에 효과적이다.

※ 주의할 점: 피부 자극, 눈, 귀 등 민감 피부 사용금지, 임산부 수유부 사용금지.

24. 오렌지(Orange)
- 학명: Citrus sinensis
- 노트: 톱 노트
- 추출 부분: 과일 껍질
- 추출 방법: 압착법
- 원산지: 중국, 미국, 프랑스, 이탈리아

● 심리적 효과 - 침울, 우울, 불안, 걱정, 짜증 등의 스트레스 완화에 도

움. 과호흡이나 공황장애에도 도움, 기분을 좋게 하며 심신의 안정, 기분전환에 도움을 준다.

• 신체적 효과 - 위를 안정시킴, 연동운동, 설사 변비 소화불량에 도움, 항바이러스 작용으로 감기 예방에 도움을 준다.

• 피부에 대한 효과 - 피지 분비조절로 여드름, 지성 피부에 효과적, 건성 피부 노화피부에도 좋음, 셀룰라이트 제거에 효과적, 체내 독소 및 피부 독소 배출에 효과적이다.

※ 주의할 점 : 광과민성 반응에 주의해야 하며, 식욕을 증진시키므로 다이어트 중에는 사용하지 말아야 한다.

25. 유칼립투스(Eucalyptus)

- 학명: Eucalyptus globulus
- 노트: 톱 노트
- 추출 부분: 잎
- 추출 방법: 증기 증류법
- 원산지: 호주, 중국, 지중해 연안

• 심리적 효과 - 머리를 맑게 해주고 감정을 진정시켜줌, 무력감이나 우울 상태에 도움, 기억력, 집중력저하에 도움을 준다.

• 신체적 효과 - 살균 효과와 면역계 강화에 효과, 기관지 관련 질병에 도움, 감기, 기관지염에 좋으며 각종 염증에 효과적, 근육통, 타박상 완화에 효과가 있다.

• 피부에 대한 효과 - 감염, 화상 염증 치료, 여드름, 지성피부, 모발관리, 탈모관리, 비듬 예방에 도움을 준다.

26. 일랑일랑(YlangYlang)
- 학명: Cananga odorata
- 노트: 미들노트, 베이스 노트
- 추출 부분: 꽃
- 추출 방법: 증기 증류법
- 원산지: 인도네시아, 필리핀, 마다가스카르

• 심리적 효과 - 최음제 작용, 항우울 작용으로 침울하거나 화가 나거나

긴장 불안 신경과민 등의 정서 상태를 조절에 도움을 준다.
- 신체적 효과 - 아드레날린 흐름을 정상화하여 호르몬 균형을 맞추고, 생리통, 생리불순, 생리 전 증후군에 도움, 자궁 강장, 남성 발기부전, 불감증 등에 효과, 근육경련에 효과가 있다.
- 피부에 대한 효과 - 피지 분비의 균형을 잡아 주므로 건성, 지성, 여드름 피부에 도움을 주고 노화피부의 수분균형에 도움, 두피 관리로 모발 생장, 발모 관리에 도움이 된다.
※ 주의할 점: 너무 많이 사용하면 두통과 구토를 유발할 수 있으므로 용량에 주의한다.

27. 쟈스민(Jasmine)
- 학명: Jasminum grandiflorum
- 노트: 미들노트, 베이스 노트
- 추출 부분: 꽃
- 추출 방법: 용매추출법
- 원산지: 인도, 프랑스, 지중해 연안국가 등

- 심리적 효과 - 자신감을 갖게 하며, 긍정적이고 낙천적인 기분을 갖도록 하고 우울감을 벗어나게 도와준다. 긍정적 감정을 느끼게 하는 효과가 있어 산후우울증, 갱년기 우울증에 매우 유용하다.
- 신체적 효과 - 근육경련을 완화시키고, 갱년기 호르몬 균형을 맞춘다. 출산 통증을 완화시키고 출산 속도를 빠르게 도와줌으로, 출산 시 가장 필요한 오일 중 하나이다. 남성 생식계 문제에도 긍정적인 효과를 준다.
- 피부에 대한 효과 - 세포 재생을 강화하는 효과로 상처 난 피부의 치유력이 있고, 임신선을 감소시킨다. 보습 효과가 있어 탄력을 증가시켜 노화 피부에 사용하게 좋은 오일이다.
※ 주의할 점: 자궁 수축 효과가 있어 중기까지는 금하며 말기와 출산 시 유용한 오일이다. 집중력이 필요한 상황에서는 사용을 자제하는 것이 좋다.

28. 제라늄(Geranium)

- 학명: Pelargonium graveolens
- 노트: 미들 노트
- 추출 부분: 식물 전체
- 추출 방법: 증기 증류법
- 원산지: 남아프리카, 지중해, 유럽

● 심리적 효과 - 신경계 강장효과로 스트레스, 분노, 불안, 좌절, 우울증 등의 완화에 도움을 주고 정신력을 강화하며 감정 상태의 균형에 도움을 준다.
● 신체적 효과 - 근육경련과 류머티즘에 도움이 되고 혈액순환 강화, 림프계 자극, 내분비계 강장효과, 호르몬 균형의 효능, 갱년기, 생리 전 증후군, 생리과다, 이뇨작용에 효과, 체내 독소 및 노폐물 배출에 도움이 된다.
● 피부에 대한 효과 - 모든 피부 타입에 효과적이다. 피지 분비조절, 원활한 혈액순환에 의해 혈색이 맑아지는 효과가 있다.
※ 주의할 점: 호르몬 관련 암 환자나 임산부는 사용을 금한다.

29. 주니퍼베리(JuniperBerry)

- 학명: Juniperus communis
- 노트: 미들 노트
- 추출 부분: 열매
- 추출 방법: 증기 증류법
- 원산지: 시베리아, 캐나다, 스칸디나비아 반도

● 심리적 효과 - 마음을 정화시키고, 스트레스로 인한 긴장 등을 완화시켜 준다. 압박감과 불안감을 덜어주며, 신경 및 감정적 피로감 해송 좋다.
● 신체적 효과 - 몸을 따듯하게 데워주는 효과로 근육을 이완시키고, 근육 피로, 경련 등을 감소시킨다. 부종과 체액정체를 완화시켜 셀룰라이트 분해에 도움이 된다.
● 피부에 대한 효과 - 독소 배출이 뛰어나 여드름, 지성 피부와 습진, 건선에 효과가 있다.
※ 주의할 점: 자궁을 자극하여 임산부에게 절대로 사용을 금한다. 독소 배출이 매우 뛰어나 신장 질환이 있는 경우에는 매우 조심해야한다.

30. 카모마일 저먼(Chamomile German)
- 학명: Matricaria recutita
- 노트: 미들 노트
- 추출 부분: 꽃
- 추출 방법: 증기 증류법
- 원산지: 헝가리, 불가리아, 독일

● 심리적 효과 - 이완 효과, 분노, 걱정, 근심, 긴장, 불면증 등 완화가 있다.
● 신체적 효과 - 류머티스 관절염, 관절의 결림과 근육통, 치통, 요통 등의 통증, 뛰어난 항염작용에 도움이 된다.
● 피부에 대한 효과 - 아토피, 습진, 건선, 여드름, 멍 등에 좋음, 강력한 항염작용으로 모든 염증에 도움이 된다. 저먼카모마일의 카마줄렌 성분은 수증기 증류법으로 증류하는 과정에서 생성된 성분으로 특유의 짙푸른 색을 띠고 있어 블루캐모마일이라고도 부른다.
※ 주의할 점: 임신 초기 및 생리 중에는 통경 작용으로 사용 주의가 필요하다.

31. 카모마일 로만(Chamomile Roman)
- 학명: Anthemis nobilis
- 노트: 미들노트
- 추출 부분: 꽃
- 추출 방법: 증기 증류법
- 원산지: 영국, 벨기에, 프랑스, 유럽, 미국 등

● 심리적 효과 - 이완작용, 스트레스, 불안, 긴장, 충격, 두려움, 근심 등에 도움. 천식 예방, 공황장애, 자율신경의 불균형 불면증 등의 개선에 효과가 있다.
● 신체적 효과 - 알레르기성 비염, 꽃가루 알레르기 등에 도움, 소화불량, 아기 배앓이, 신경성 소화 장애, 복부 팽만 등 완화, 방광염, 비뇨기과 계통의 감염증세에 도움을 준다.
● 피부에 대한 효과 - 피부염, 습진, 건선, 여드름, 아토피성 피부염, 진균, 감염 등 치료에 효과적이다.
※ 주의 사항: 임신 초기와 생리 중에는 통경 작용이 있음으로 사용에 주의

해야한다.

32. 클래리 세이지(Clary Sage)

- 학명: Salvia sclarea
- 노트: 톱 노트
- 추출 부분: 꽃과 잎
- 추출 방법: 증기 증류법
- 원산지: 남유럽, 지중해 동부, 영국, 러시아 등

● 심리적 효과 - 기분을 고양시키고, 행복감을 상승시킨다. 신경성과 긴장 감과 공포감을 진정시킨다.

● 신체적 효과 - 면역계를 강화시켜 회복기에 사용, 근육 이완에 효과적, 근육 피로, 경련, 관절 통증을 감소시킨다.

● 피부에 대한 효과 - 과도한 땀 분비를 완화시키고 모발 성장을 자극하고, 비듬, 지루성 두피의 피지생성을 감소시켜 정상화시키는 데 도움이 된다.

※ 주의할 점 : 진정작용이 뛰어나 운전하기 전 사용을 자제한다. 다량 사용시 두통의 원인이 된다.

33. 타임(Thyme)

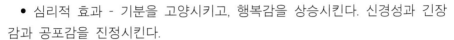

- 학명: Thymus vulgaris
- 노트: 톱 노트
- 추출 부분: 꽃과 잎
- 추출 방법: 증기 증류법
- 원산지: 지중해 연안, 이탈리아 남부

● 심리적 효과 - 두통과 스트레스를 완화시키고 신경계를 강하시키는 효과가 있다.

● 신체적 효과 - 이뇨 작용, 통풍, 스포츠 부상 완화에 좋다. 부종, 셀룰라이트 제거에도 도움이 된다. 백혈구 생산을 촉진하여 면역계를 강화한다.

● 피부에 대한 효과 - 강장효과로 비듬, 탈모에 도움이 되고 여드름, 종기의 피부염증과 같은 상처 치유에 도움이 된다.

※ 주의할 점 : 살균력이 매우 강해 낮은 농도로 사용하도록 권장한다. 임

신과 고혈압에는 사용을 금지한다.

34. 티트리(TeaTree)
- 학명: Melaleuca alternifolia
- 노트: 톱 노트
- 추출 부분: 잎
- 추출 방법: 증기 증류법
- 원산지: 호주

• 심리적 효과 - 정신적인 피로, 불안감, 우울상태, 무기력, 신경과민, 스트레스 등에 도움을 준다.
• 신체적 효과 - 천연 알코올제 역할, 강력한 살균, 항카타르 효과가 있고 기침감기, 기관지염, 천식 등의 호흡계 질환에 도움, 구내염, 잇몸염증, 치통, 질염, 방광염 등의 염증에 도움을 준다.
• 피부에 대한 효과 - 곰팡이, 바이러스 관련 감염증세 효능, 여드름, 무좀 등의 진균성 피부 염증에 효과적이다. 피부 트러블, 헤르페스, 대상포진, 화상, 벌레물림에 효과적, 천연 알코올로 불리기도 한다.
※ 주의할 점: 극도로 민감한 피부를 제외하고는 전반적으로 안전하다.

35. 팔마로사(Palmarosa)
- 학명: Cymboopogon martini
- 노트: 톱 노트
- 추출 부분: 잎
- 추출 방법: 증기 증류법
- 원산지: 인도, 파키스탄, 인도네시아, 코모로섬 등

• 심리적 효과 - 마음을 새롭게 하거나 머리를 맑게 하여 스트레스를 완화시킨다.
• 신체적 효과 - 장 감염증, 소화 장애 및 거식증에 도움이 된다. 열을 낮추어 감기와 열증상 완화에 도움이 된다.
• 피부에 대한 효과 - 욕창, 잘 낫지 않은 상처, 피부감염증에 효과적이다. 갈라지고 주름진 피부, 목 피부 개선에 도움이 된다.

36. 패출리(Patchouli)

- 학명: Pogostemon patchouli
- 노트: 베이스 노트
- 추출 부분: 식물 전체
- 추출 방법: 증기 증류법
- 원산지: 필리핀, 인도네시아, 말레이시아 등 아시아

● 심리적 효과 - 진정효과로 우울, 분노 완화시키고, 머리를 맑게 하고 신경긴장에 유용하다.
● 신체적 효과 - 대장운동 도움, 체액 정체와 셀룰라이트에 효과가 있다. 상처 회복 및 피부 늘어짐 예방에도 효과적이다.
● 피부에 대한 효과 - 세포 재생효과로 흉터 및 갈라진 피부에 도움이 된다. 벌레 퇴치에 효과적이다.
※ 주의할 점 : 광독성이 있어 소량만 사용해야 한다.

37. 페퍼민트(Peppermint)

- 학명: Mentha piperita
- 노트: 톱 노트
- 추출 부분: 식물 전체
- 추출 방법: 증기 증류법
- 원산지: 미국, 프랑스, 영국 등

● 심리적 효과 - 정신적인 피로 개선, 의욕 저하, 무기력에 도움, 두통, 편두통 등에 도움, 기분을 깨어나게 해주고 집중력에 도움을 준다.
● 신체적 효과 - 소화불량, 복부팽만에 도움, 코 막힘, 멀미, 각종 통증, 타박상 등에 도움, 구취 감소에 도움을 준다.
● 피부에 대한 효과 - 수렴 작용 있음, 염증이나 벌레물림, 두드러기, 가려움증 감소에 도움, 쿨링 작용, 지성피부와 지루성 두피에 효과적이다.
※ 주의할 점: 쿨링 작용이 넓어 눈 주위나 점막에는 바르지 않아야 한다. 임산부나 수유 중인 산모는 사용을 금지 해야한다.

38. 프랑킨센스(유향/Frankincense)

- 학명: Boswellia carteri
- 노트: 미들노트, 베이스 노트
- 추출 부분: 수지
- 추출 방법: 증기 증류법
- 원산지: 홍해, 중앙 아프리카, 남동부 아프리카, 오만, 에티오피아

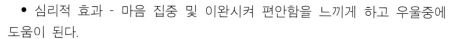

● 심리적 효과 - 마음 집중 및 이완시켜 편안함을 느끼게 하고 우울중에 도움이 된다.

● 신체적 효과 - 신경계 강화, 면역증강에 도움, 점액 제거, 점액을 제거하여 호흡을 편하게 한다.

● 피부에 대한 효과 - 피부 재생과 수렴 작용으로 균형을 잡도록 도와준다.

제품	심혈관계	소화기계	정서적균형	호르몬계	면역계	근육·뼈	신경계	호흡기계	피부·모발
네롤리	●							●	●
라벤더	●		●				●		●
라임		●			●			●	
레몬		●			●			●	
레몬그라스					●	●			
레몬유칼립투스								●	●
로만캐모마일			●				●		
로즈			●						●
로즈마리					●		●	●	
마조람	●					●			
멜리사			●						●
멀(미르,몰약)				●	●		●		●
바질	●					●			
버가못		●	●						●
베티버			●	●			●		
블랙페퍼	●	●						●	●
사이프러스	●					●			
샌달우드			●			●	●		●
생강(진저)		●					●		
시나몬(계피)					●				
시더우드							●	●	
오레가노					●	●		●	
유칼립투스								●	●
일랑일랑	●		●	●					
자몽	●								
자스민			●	●				●	●
자작나무						●			
주니퍼 베리		●	●				●		●
클라리세이지				●					
클로브	●	●			●			●	
타임					●	●			
티트리					●	●		●	●
패출리									●
페퍼민트		●				●	●	●	●
프랑킨센스			●		●		●		●

<표 6 에센셜 오일의 효능 및 효과>

Chapter 04. 캐리어 오일의 이해

1. 캐리어 오일(carrier oil)의 이해

에센셜 오일을 피부 속으로 운반해 준다는 의미로 식물성 오일을 캐리어 오일 (carrier oil)이라고 한다. 이 책에서는 식물성 오일, 식물유, 베이스 오일, 마사지 오일의 의미를 모두 '캐리어 오일'로 표기한다.

에센셜 오일은 고농도로 농축되어 있다. 따라서 피부에 사용할 때는 자극이 될 수도 있기에 식물성 오일로 희석해 주어야 한다. 또한 휘발속도를 낮춰주고 피부 속으로 전달이 되도록 하는 또 다른 매개체가 필요하다. 거의 모든 캐리어 오일은 식물에서 추출하므로 식물유라고도 하며, 일명 베이스 오일(base oil) 또는 고정오일 (fixed oil)이라고도 한다. 캐리어 오일은 보통 에센셜 오일의 효능을 증진시키는 마사지 오일의 역할을 한다.

1) 캐리어 오일의 영양성분

캐리어 오일은 식물의 씨, 과육 등에서 추출하며 인체에 유익한 영양성분을 다량으로 포함하고 있다. 피부 친화력이 좋아 피부 표면에 잘 흡수되어 피부 보호 및 영양과 보습 및 유연성을 준다.

캐리어 오일은 비타민과 미네랄 성분이 풍부하지만 대부분은 지방산으로 이루어진 오일이며, 지방질은 물에 녹지 않는 성질을 갖고 있다. 생체막의 구성 성분이 되며 주요 에너지의 저장 형태이기도 하다. 지방산은 포화도에 따라 포화지방산과 불포화지방산이 있으며, 포화지방산은 주로 생체막의 구조 및 에너지 저장의 역할을 하고 불포화지방산은 비타민, 호르몬 등의 기능도 수행한다. 포화지방산들은 실온에서 고체이고 주로 동물성 지방산이며, 불포화지방산은 실온에서 액체이며 주로 식물성 지방산이다.

캐리어 오일은 에센셜 오일을 희석하는 역할도 하지만 풍부한 영양을 갖고 있어 그 자체로도 피부나 건강에 좋은 효과를 준다. 캐리어 오일에 들어있는 불포화지방산은 우리 몸 속의 중요한 성분으로 우리 스스로는 만들 수 없고 오직 밖으로부터 흡수해야 한다. 생선과 콩류와 씨앗에 들어있는 불포화지방산이 캐리어 오일에는 들어 있기에 정규적으로 캐리어 오일을 몸에 바른다면, 음식으로 먹는 것만큼의 효과를 기대할 수 있다. 또한 비타민·미네랄 등 피부에 좋은 성분을 함유하고 있기에 민감한 피부에는 캐리어 오일만 사용해도 효과가 있다.

식물성 오일의 추출은 대부분이 원료 식물 자체를 사용하나 정제된 원료를 사용할 수도 있다. 식물을 정제하면 그 처리 과정과 보관이 용이해지는 반면에 원래 식물의 영양소를 잃을 수 있다.

성 분	효 과	
비타민 A	상피 조직을 정상적으로 유지하고 성장을 촉진하며 피부 세포나 점막을 건강하게 유지한다	
비타민 D	칼슘의 흡수와 건강한 뼈, 치아 및 피부의 성장에 필요하며 근육을 활성화시킨다	
비타민 E	토코페롤이라고도 하며 항산화기능을 가지고 있고, 세포막의 구성성분인 불포화지방산이 파괴되는 것을 막아 세포의 손상을 예방한다	
비타민 F	생명유지에 필수적인 다가 불포화지방산이므로 '필수지방산'이라 부르며 반드시 체외로부터 음식물로 섭취 공급되어야 한다. 인체에 필요한 필수지방산으로는 리놀레산, 리놀렌산, 아라키돈산이 있다.	
	리놀레산 (linoleic acid) 오메가6지방산	리놀레산은 오메가6 계열의 필수 지방산으로, 피부세포막의 구성요소이며, 피부 표면 밑의 지질 보호막층을 강화하여 수분손실을 막는 역할을 한다. 염증 반응과 관련 있는 호르몬인 프로스타글란딘의 합성에 필수적이며, 염증을 줄이고 피부 회복을 촉진하는데 도움을 준다. 피부를 보호하고 수분 손실을 방지하는 데 도움을 주어 피부의 수분 균형을 유지하고, 건조함을 방지한다. 　아로마테라피에서 리놀레산이 풍부한 기름은 주로 피부 보습, 염증 감소, 그리고 피부 재생을 촉진하는 데 사용된다. 참깨씨, 아마씨, 해바라기씨, 홍화씨, 호두 오일에 풍부하며 감마리놀렌산(GLA)는 달맞이꽃 오일, 보리지 오일 등에 함유되어 있다.
	리놀렌산 (linolenic acid) 오메가3지방산	리놀렌산은 오메가3 계열의 필수 지방산으로, 염증 반응을 감소시키고 심혈관 건강을 개선하는 데 도움을 준다. 또한, 세포막의 유연성을 증가시키고, 피부의 건강을 유지하는 데 필수적이다. 　아로마테라피에서 리놀렌산이 풍부한 오일은 피부의 염증을 줄이고, 건조함을 완화시키며, 피부 장벽을 강화하는 데 사용된다. 플랙스시드 오일(아마씨 오일), 치아 씨드 오일, 호두 오일은 오메가3 지방산이 풍부하여 피부에 유익하다. 리놀렌산이 풍부한 오일은 피부 염증을 완화하고, 피부의 건강한 노화 과정을 지원하기 위해 사용된다. 또한, 피부 재생을 촉진하고, 피부 질환의 치료를 돕는 데에도 유용하다.

<표 7 비타민 성분과 효과>

2) 캐리어 오일의 선택 기준

아로마테라피에서 사용하는 캐리어 오일의 조건이다.
- 식물에서 추출된 식물성 오일이어야 한다.
- 냉압착유, 즉 과도한 열을 가하지 않아 영양 성분이 보존된 오일이어야 한다.
- 안정적이어서 열이나 빛에 노출되어도 쉽게 변하지 않아야 한다.
- 직접 피부에 도포해도 안전해야 한다.
- 끈적임이 적고 부드러워야 한다. (단, 아보카도 오일, 윗점 오일은 예외)
- 부드러운 마사지가 될 수 있도록 윤활성이 좋아야 한다.
- 강한 냄새가 없거나 적은 것으로 사용한다.
- 미네랄 오일과 식용유는 사용하지 않는다.

※ 아로마테라피에서 미네랄 오일을 사용하지 않는 이유

미네랄 오일은 광물유로 다양한 산업에서 활용되는데, 향을 첨가하여 영국, 미국, 프랑스 등지에서 베이비 오일(baby oil)로 판매된다. 광물류는 상대적으로 값이 싼 물질이며 매우 대량으로 생산된다.(출처:위키백과)

아기 피부의 수분 증발을 막아 주는 오일막을 형성해 주는데, 아기나 유아의 경우 피부에 지질이 풍부하기 때문에 광물유가 피부로 잘흡수된다. 하지만 성인은 나이가 들면서 피부에 지질이 빠져나가기 때문에 미네랄 오일을 바르면 흡수되어 부작용을 일으킬 수 있다. 또한 미네랄 오일의 코팅 효과는 피부호흡과 자연보습인자인 영양성분과 수분흡수를 차단하여 피부의 자가 면역성을 저하시키며 피부의 독소배출 능력을 방해하므로 피부질환을 유발시킬 수 있다. 또한 정상적인 피부기능과 세포발육을 방해하여 피부의 조기노화를 촉진시킬 우려도 있다.

따라서 아로마테라피에서는 인체의 지질성분과 그 구조가 비슷하고 영양성분이 풍부한 천연 식물성 오일을 사용한다.

3) 비정제 캐리어 오일

캐리어 오일은 생산과정에서 정제 정도에 따라 정제와 비정제 오일로 나뉘며, 시중에는 정제 오일이 일반적으로 유통된다. 비정제 오일은 식물에서 추출한 천연의 상태로 특유의 색과 향이 있어 화장품 원료로 사용하기에 적합하지 않다. 비정제 오일은 식물 고유의 풍부한 영양소의 효과를 필요로 할 때 사용하는 것이 좋다.

2. 캐리어 오일 각론

1. 코코넛 오일(Coconut Oil)
- 학명: Cocos nucifera
- 과명: 야자나무과(Arecaceae)
- 추출 부위: 코코넛의 과육
- 원산지: 동남아시아, 인도, 남아메리카, 아프리카

연한 녹색의 열대과일로서 즙이 많아 음료로 마신다. 열매 안쪽에 젤리처럼 생긴 과육은 단맛과 고소한 맛이 나서 그대로 먹거나 기름을 짠다. 다 익으면 갈색이 되고 과육도 단단해진다. 열대와 아열대 지방에 널리 자라며, 태국을 비롯한 동남아시아의 농장에서 대규모로 재배한다. 1년에 4회 정도 수확하는데, 나무 1 그루당 50~60개의 열매가 달린다.

덜 익은 과즙에는 약간의 인과 철이 들어 있고, 젤리 상태의 과육에는 지방 1~6%와 인이 많이 들어 있다. 잘 익은 것에는 지방 26%, 단백질 4g, 인 100mg 이상, 철 2.5mg이 들어 있다. 코코넛 오일은 코코스 야자의 열매인 코코넛에서 짜낸 기름을 말한다. 팜유와 마찬가지로 포화지방산이 많아 대표적인 열대 기름으로 꼽힌다. 코코넛 오일은 독특한 구성 성분으로 인해 다양한 효과가 나타난다고 한다.

일반적으로 상온에서 고체로 굳어지는 포화지방은 혈관을 막는 동맥경화의 주범이라 할 수 있지만 예외가 바로 코코넛 오일이다. 즉, 지방으로 쌓이는 일 없이 바로 연소된다는 것이다. 그렇기 때문에 여느 지방과 달리 코코넛 오일은 심장병과 암, 당뇨병을 비롯해 각종 소화계 질환을 예방해주고, 감염이나 질병의 공격을 피할 수 있도록 면역력을 강화해준다.

자연식품 중 가장 많은 중사슬 지방산을 갖고 있는 식품으로 간에서 연소가 빨리 되어 더 많은 에너지를 만들고, 에너지 소비를 촉진시켜 포만감을 느끼게 하며 신진대사를 높여준다. 또한 체지방이 쌓이는 것을 막고(인체에 쌓여 있던 장쇄지방산까지 같이 태움)인슐린 내성도 줄여준다. 변비에 효과적이고 비타민E가 들어 있어 피부 노화와 주름을 예방하며, 피부 영양 공급에도 효과가 있다. 카프릴산으로 인해 무좀, 버짐, 비듬 등 피부 진균의 발생을 예방하며, 피부의 건강을 보습하고 증진하기 위해 바디 오일로도 사용할 수 있다.

코코넛 오일 화장품은 모든 피부 유형에 사용할 수 있으며 사용 시 부작용이 적어 환영받는 미용재료이다. 특유의 보습성으로 다양한 피부 질환에 효과가 있어 건선, 피부염, 습진 및 피부 감염과 같은 문제에 특히 효능이 좋다.

2. 호호바 오일(Jojoba Oil)

- 학명: Simmondsia chinensis
- 과명: 호호바과(Simmondsiaceae)
- 추출 부위: 호호바의 씨
- 원산지 : 아메리카, 멕시코 사막지대

미국 서남부와 멕시코 북부의 건조 지대에 자생하는 회양목과에 속하며 가죽질의 잎을 가진 관목으로 높이가 60cm~3m 정도이다. 두껍고 거칠한 잎이 수분 증발을 막으며 햇볕이 강하고 비가 잘 오지 않는 건조한 지역에서도 잘 자란다.

북미 원주민들이 따가운 햇볕에 건조해지기 쉬운 피부와 머리카락을 보호하는데 사용해 온 오일이며, 향유고래 기름의 대용으로도 주목받기 시작했고 화장품과 모발 관리용 원료로 유명하다.

노란색의 호호바 골드 오일과 무색투명한 호호바 오일이 있으며, 정제 호호바는 화이트 호호바, 비정제 호호바는 골든 호호바로 부른다. 안정성이 높고 열에 강하여 품질이 오래 보존된다. 온도가 낮은 곳에서는 고체가 되나 실온에서는 액체 상태로 돌아온다. 주성분은 고급 지방산과 고급 알코올로 구성된 에스테르로 식물성 액체 왁스 구조이며, 인체의 피지 성분과 가장 유사하다고 한다.

끈끈한 오일이라도 호호바 오일과 섞으면 촉감이 가볍고 매끄럽다. 사용감이 산뜻함을 느낄 수 있으며 염증을 억제하고 주름살과 색소 침착을 방지한다. 피지 조절 작용을 하므로 피지 불균형에 좋고 피부에 잘 흡수되며 모공의 노폐물을 녹여준다. 항균 작용이 있어 여드름 피부에 유효하며 관절염, 각종 감염증, 알레르기, 호흡기계 질환에 베이스 오일로 사용하면 좋다. 침투성이 좋아 모공 속의 각종 노폐물을 잘 용해시키므로 지성피부에 효과적이다. 두피에 발라 잘 스며든 다음에 샴푸를 하면 탈모 방지 또는 발모 효과가 있으며 머리카락에 윤기가 나기도 한다.

3. 아르간 오일(Argan Kernel Oil)

- 학명: Argania spinosa
- 과명: 사포타과(Sapotaceae)
- 추출 부위: 호호바의 씨
- 원산지: 아메리카, 멕시코 사막지대

모로코 남서부 지역의 베르베르주에서 아르간 나무로 더 잘 알려진 아르가니아 스피노사 나무는 '생명의 나무'라는 별명을 갖고 있다. 역사적으로 아르간 오일은 모로코 지방의 사람들에 의해 류마티스 치료와 흉터 감소에 효과적으로 활용되어 왔다.

기원 전 1550년 초, 페니키아인들은 아르간 오일을 사용하여 질병을 치유하고 피부와 헤어 컨디셔너로 사용해 그 사용법을 기록함으로써 스스로를 아름답게 가꾸었다. 그 후 수세기동안 북아프리카 베르베르족은 아르간 나무와 그 과일을 충실히 가꾸어, 과일은 그들이 사육하는 염소에게 먹였고, 기름기가 많이 들어있는 단단한 견과류는 남겨두었다.

아프리카 탐험가 레오 아프리카누스는 1510년 모로코를 횡단하는동안 아르간 오일을 발견했고, 결국 독점적이었던 아르간 오일은 유럽에 소개되어 부유한 사람들에 의해 거래되었다. 아르간 오일로 인한 베르베르 여성들의 이국적인 아름다움은 전설적인 명성으로 오늘날에도 이어지고 있으며, 아르간 오일의 미용적 특성에 의한 것으로 여겨지고 있다.

아르간 오일은 비타민 E와 필수지방산 성분이 함유되어 있어 피부 장벽을 강화하고 수분을 유지하는 데 도움을 줍니다. 또한, 폴리페놀 화합물인 페룰리산 성분이 자외선으로부터 피부를 보호하고 세포의 재생을 자극합니다. 또한, 항균 및 항염증성 효과를 지녀 모공을 정화하고, 피지의 균형을 맞춰 피부가 숨쉴 수 있도록 하여 지성 피부에도 효과적으로 사용할 수 있습니다.

4. 달맞이꽃 오일(Evening Primrose Oil)

- 학명: Oenothera biennis
- 과명: 바늘꽃과(Onagraceae)
- 추출 부위 : 달맞이꽃의 씨
- 원산지 : 아메리카, 영국

달맞이꽃은 높이가 1m 정도의 바늘꽃과의 2년초로 남아메리카의 칠레가 원산이다. 물가 · 길가 · 빈터에서 자란다. 옛날부터 체질 개선에 효과가 있는 약초로 사용되어 왔고, 꽃잎은 4장이며 밤에 노란색 꽃이 피었다가 아침이 되면 시든다. 달맞이꽃은 밤이 되면 활짝 피기 때문에 '달을 맞이하는 꽃'이라 해서 '달맞이 꽃' 혹은 월견초(月見草)라고 불린다. 한방에서는 뿌리를 약재로 쓰는데 감기로 열이 높고 인후염이 있을 때, 물에 넣고 달여서 복용한다.

종자는 월견자(月見子)라고 하여 고지혈증에 사용한다.

과거 미국의 인디언들이 기름을 추출하여 만능 치료제로 이용해 왔는데, 후에 이탈리아로 건너가 '왕의 만병통치약(King's Cureall)'으로 불릴 정도로 진귀하게 취급되었다. 리놀레산이 60~75%, 감마리놀렌산이 10% 정도 들어있다. 이들 성분은 면역 기능을 강화하고 항알레르기, 항염증, 노화 방지 작용을 하여 간접적으로 호르몬 균형을 잡아준다.

보통 바르기도 하지만 최근 건강보조식품으로 섭취가 가능한데 피부 재생 효과가 있으며, 여성호르몬 분비 균형을 맞춰주는 기능이 있어 갱년기 증상이나 월경 전 긴장증, 생리통 및 건조한 피부, 염증, 습진 아토피 피부염 관절염에 유용하고, 콜레스테롤 수치도 낮추어 준다고 한다. 달맞이유는 체중 증가, 혈액 순환이 부분적으로 잘 되지 않아 몸이 퉁퉁 붓는 질병 치료에 효과적이며, 개봉 후 약 3주 간 냉장고에 보관하여 사용하면 쉽게 산화하므로 소량으로 구입하는 것이 좋다.

5. 스윗 아몬드 오일(Sweet Almond Oil)

- 학명 : Prunus amygdalis var. dulcis
- 과명 : 장미과(Rosaceae)
- 추출 부위 : 스윗 아몬드의 견과
- 원산지 : 중앙아시아, 지중해, 미국, 인도

Prunus는 plum '자두'의 옛 라틴명에서 유래하였고, 높이는 8m 정도 자라는 장미과의 낙엽교목이다. 꽃은 4~5월에 연분홍색 또는 흰색으로 다르며 종자는 자연적으로 건조해서 터진다. 아몬드는 아시아 남서부가 원산인 교목으로 씨는 먹을 수 있는데 맛이 단 것과 쓴 것 두 종류가 있다.

맛이 단 것을 스윗 아몬드(sweet almond)라 부르며 주로 이것이 사용된다. 그 외로 비터 아몬드는 아미그달린(amygdalin)이라는 물질을 함유하고 있는데 효소에 의해 가수분해되어 청산을 내놓는다. 아미그달린은 독성이 강한 물질로 먹거나 바르면 인체에 손상을 준다. 피부에 천천히 스며들게 해야 하며 아기피부나 가려움증이 잘 생기는 민감한 피부에 효과적이다. 항염증 보습 작용이 있어 일상적인 피부 관리에 사용하며 아기 피부에 마사지할 때도 좋다. 습진이나 건선 등에 유용하고 피부에 영양을 공급한다. 유연 작용이 좋아 각종 크림, 마사지 오일로 사용되며 비교적 가격이 저렴하고, 어떤 오일을 골라야 할 지 모를 때는 스윗 아몬드 오일이나 호호바 오일을 선택하면 된다.

6. 살구씨 오일(Apricot Kernel Oil)
 - 학명 : Prunus armeniaca
 - 과명 : 장미과(Rosaceae)
 - 추출 부위: 살구씨의 핵
 - 원산지 : 아시아, 중동, 지중해 연안

살구나무는 높이가 5m 정도로 자라는 장미과의 낙엽교목이다. 초여름에 노랗게 익은 열매가 열리며 과실은 먹기도 하고 잼이나 술, 설탕절임을 만들기도 한다. 살구 열매의 가장 안쪽에 있는 살구의 씨는 한방에서 행인이라고 부르는데, 이런 연유로 살구씨 오일을 '행인유'(杏仁油)라고 부르기도 한다.

행인은 한방에서 기침을 멎게 해주는 생약으로 사용이 되고 기름을 짜기도 한다. 올레산이 65%로 풍부하게 들어 있고, 피부에 가장 좋은 피부 관리용 오일로써 침투성이 뛰어나 피부를 부드럽게 해주며 거칠어진 피부를 재생한다. 가벼운 점도 때문에 피부 흡수가 빠르고 각질 제거 및 피부 보호 영양을 위한 가려움증을 완화하는데 유용하다.

마사지를 할 때, 살구씨 오일을 사용하면 피부에 가볍게 와 닿는 촉감이 좋다. 낮은 순도로 정제한 제품은 달콤한 살구 향기가 나며 토코페롤이 함유되어 있어 노화 피부와 민감성 피부에 적합하다. 또한 끈적임이 적어 유연성이 좋아 민감성 피부나 건성피부에도 좋고 임신선을 예방하는데도 좋다.

7. 아보카도 오일(Avocado Pear Oil)

- 학명 : Persea americana
- 과명 : 녹나무과(Lauraceae)
- 추출 부위: 아보카도의 과육
- 원산지 : 라틴 아메리카

Persea는 이집트의 단맛을 내는 수목의 옛 그리스명에서 유래했다. 약 150종이 있으며 높이는 5~20m 정도 자라는 녹나무과의 상록수이다. 과육은 '숲 속의 버터'라고 불리며 어떠한 과일보다도 영양 성분이 많아 높은 지방분, 단백질 함유량을 가지며 단맛은 없다.

열매에서 추출한 오일은 침투력 때문에 우중충하고 생기 없는 피부를 개선하는 크림과 마사지 오일의 재료로 사용된다. 이뇨작용이 있는 잎을 우려내서 마시면 간을 깨끗하게 하고 고혈압을 낮춘다. 수피와 잎은 위, 가슴병 치료, 생리 기간 조절에 쓰인다.

씨앗은 설사 치료에 도움이 된다. 대부분의 식물성 오일과는 달리 아보카도 오일은 씨에서 얻어지지 않고 살 부분. 즉, 과육에서 얻어지기 때문에 추출하기 가장 쉬운 오일 중의 하나로 알려져 있다. 열대지역에서 전통적으로 화장품으로 사용되어 왔고, 아보카도가 나는 지역의 여성들 또는 노인들도 젊은 피부를 유지하고 있다는 점이 세계적으로 주목되어 피부 미용에 이용되기 시작했다. 올레산이 70%, 리놀레산이 10%, 팔미트올레산이 10% 정도 들어 있으며, 보습력이 뛰어나 갈라진 발바닥이나 발뒤꿈치, 팔꿈치 등을 부드럽게 회복시킨다.

보존성이 좋고 냉장 보관 시 가끔 뿌옇게 되고 굳어지는 느낌이 드나 상온에 내놓으면 다시 액상으로 된다. 피부 침투성이 매우 좋고 피부를 진정시키며, 촉촉하고 유연하므로 건조한 피부, 습진, 기저귀 발진 및 주름이 잘 생기는 노화 피부에 좋다. 피부 유연 효과가 우수하여 마사지 오일로 효과적이며, 고급 영양크림 등에도 많이 사용되고 있다. 민감한 피부를 진정시켜 주고, 피부가 비늘처럼 일어나는 건성피부를 치유시켜 준다. 섬유아세포를 증가시키고 활성화시키는 작용이 우수하므로 노화된 피부에도 좋다.

8. 보리지 오일(Borage Oil)

- 학명: Borago officinalis
- 과명: 지치과(Boraginaceae)
- 추출 부위: 보리지의 씨
- 원산지 : 유럽

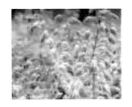

지치과(Boraginaceae)에 속하는 식물로 서양자초 또는 유리지치라고 부른다. 보리지는 종종 Beebread(꿀벌의 식량)라고 불리는데, 이는 벌들이 이 식물을 좋아하기 때문이다. 또한 '별꽃'이라는 의미의 '스타플라워'라고도 알려져 있는데 이는 꽃의 모양이 이국적인 별 모양을 하고 있기 때문이다.

원산지는 지중해 연안이며 고대 그리스와 로마시대부터 술 등에 넣어 마시면 기분이 좋아진다고 해서 널리 사용했다. 이런 효능 때문에 쾌활초라고도 불린다. 십자군 원정 때에는 고된 전쟁으로 인해 지친 병사들을 달래기 위해 보리지 술을 사용했다는 기록이 있다.

속명인 Borago는 '빳빳한 털'이라는 의미를 지닌 라틴어에서 유래했고, 고개를 숙이듯 아래를 향해서 피는 별 모양의 꽃은 설탕에 절인 다음 케이크 장식에 쓰기도 한다. 전체가 흰 털로 덮여 있다. 부드러운 잎은 독특한 오이 향이 나서 샐러드, 생선 요리와 닭 요리 등에 이용하고, 꽃잎은 샐러드, 와인, 펀치 등을 장식하는데 이용한다. 잎과 꽃은 허브차로 이용되며 감기와 유행성 독감에 효과가 있다고 한다.

보리지는 마음을 위로하고 우울한 기분을 없애주며 예로부터 용기를 불어 넣어주는 꽃으로 알려져 있다. 또한 교회의 태피스트리(여러 가지 색실로 그림을 짜 넣은 직물. 벽걸이나 가리개 따위의 실내 장식품으로 쓰임)나 기사의 옷에 그 문양이 들어가는 경우가 많았다.

달맞이꽃 오일과 효능이 비슷하고 두 오일 다 감마리놀렌산을 함유하고 있으며, 피부에 바르는 것은 물론이고 복용하기도 한다. 감마리놀렌산이 20~30% 리놀레산은 30% 정도 함유하고 있다. 체액순환을 촉진하고 면역 기능을 강화하며 피부 재생 효과가 있어 갱년기 여성에게 매우 유용하다. 또한 세포활성 증가와 신진대사 향상 기능이 우수하며 탈모증의 치료에도 이용된다. 프랑스의 남부 지역에서는 여성들이 오래전부터 보리지 오일을 얼굴에 바르거나 음식에 첨가하여 젊은 피부를 유지할 수 있었다.

공기, 빛, 열, 습도에 불안정해서 산화되기 쉬우므로 개봉 후 1~2개월 내에 사용하고 시원한 곳에 보관해야 한다.

9. 포도씨 오일(Grape seed oil)
- 학명: Vitis vinifera
- 과명: 포도과(Vitaceae)
원산지: 지중해, 아메리카
추출 부위: 포도의 씨

포도라는 명칭은 유럽종의 원산지인 중앙아시아 지방의 원어 'Vitis'에 근원하는 것으로 알려지고 있다. 포도과의 낙엽·활엽·덩굴성 나무로 기원전 4,000년경 에게해 지역에서 재배되기 시작하여 세계 각지로 퍼져 나갔다. 현재는 세계에서 가장 생산량이 많은 과실나무이며, 포도주를 만들고 남은 포도씨에서 포도씨 오일을 생산한다.

마사지시 손놀림이 매끄럽고 가볍다는 것을 느낄 수 있고 잘 발라진다. 포도씨 오일에는 콜레스테롤이 없고 필수지방산인 리놀레산이 60~70%가 들어 있다. 비타민 E도 100g에 30~70mg 전후로 비교적 많이 함유하고 있어 피부를 보호하고 영양을 주어 마사지에 좋다. 또한 강력한 항산화제이기 때문에 산화 방지와 노화 억제에 효과가 있다. 클렌징 효과와 보습 효과가 있어 건성피부나 지성피부에 잘 맞는다. 호호바 오일처럼 사용 후 끈적임이 남아있지 않아서 크림이나 로션의 재료로도 사용한다.

높은 함량의 리놀레산은 피부에 유분막을 형성하여 피부의 수분이 증발하는 것을 막아주고 외부 유해 물질이 피부로 침투하는 것 또한 막아주며 피부 조직 세포에 영양을 공급한다.

모든 피부타입에 사용할 수 있고 향과 색이 옅어 영양이 풍부한 다른 캐리어 오일과 섞으면 시너지 효과가 있다. 비교적 가격이 저렴하고 사용하기 편하다. 유분이 가장 적은 캐리어 오일로 유분감이 많은 오일을 싫어하는 사람에게 적합하며 냄새가 없다.

10. 마카다미아 오일(Macadamia Oil)
- 학명: Macadamia ternifolia / Macadamia integrifolia
- 과명 : 프로테아과(Proteaceae)
- 추출 부위 : 마카다미아넛의 견과
- 원산지 : 오스트레일리아 원산, 아프리카, 하와이

마카다미아라는 말은 1857년 이 종이 식물학자들에 의하여 기재될 때,

호주 과학자 존 맥아담의 이름에서 유래된 학명이 일반 이름으로 쓰이게 된 것에 기인한다. 고온 다습한 열대아시아, 아프리카, 남미의 저지대에서 주로 재배하며, 연간 세계 생산량은 약 10만 톤이다. 마카다미아 넛은 매우 단단한 껍질로 싸여 있어 자연계에서 껍질을 깨고 내용물을 먹을 수 있는 동물은 없을 정도이다. 서양인이 호주에 도착하기 오래 전부터 호주 동북부에 살던 원주민들은 마카다미아 넛을 수거하여 영양가 높은 알맹이를 먹어온 것으로 알려졌다.

1881년 미국 하와이에 도입되어 대규모 마카다미아 농장이 개발되었고 하와이는 오랫동안 세계 최대의 생산지가 된 바 있다. 이후 원산지인 호주 동북부 및 뉴질랜드에 대규모 생산 농장이 개발되어 현재는 호주가 최대 생산지이다. 잘 산화하지 않고 장기 보관이 가능한 오일이며 올레산이 55~70%, 리놀레산은 1~4%로 적게 들어 있다.

사람의 피지 성분 중 10% 이상을 차지하는 것은 팔미트올레산이다. 팔미트올레산은 영유아나 어린이의 피지에서 발견되는 글리셀라이드와 유사한 필수 지방산이며, 피부에 천연 유연제 역할을 한다.

마카다미아 오일에는 이 팔미트올레산이 헤이즐넛 오일 못지 않게 16~23% 정도로 많이 들어 있어 피부에 젊음을 되찾아 주는 효능이 있다고 한다. 등이나 다리가 가려워서 긁은 곳에 염증으로 번지는 경우에 효과가 있다. 강한 향이 있고 오메가3, 오메가6 지방산이 풍부하며, 피부의 지질 차단층을 강화시켜 피부를 촉촉하게 해준다.

노화성 피지 부족으로 인한 건성피부에 좋으며 피부에 열을 내는 오일로 겨울에 주로 사용하면 좋다. 가볍고 피부 흡수성이 매우 좋기 때문에 사라지는 오일(vanishing oil)이라고도 불린다. 민감성 피부나 넛 알러지가 있는 경우 사용을 피하도록 한다.

11. 로즈힙 오일(Rosehip oil)
- 학명: Rosa rugosa/Rosa canina/Rosa moschata
- 과명 : 장미과(Rosaceae)
- 추출 부위 : 장미 관목의 씨
- 원산지 : 남아메리카 안데스 산맥

로즈힙은 고대 마야, 이집트, 남아메리카 원주민들이 오랫동안 약용과 식용으로 사용하여 왔다. 야생 장미는 전통 아메리카 원주민이 약용으로 사용

했고, 야생 장미의 열매는 식용으로 쓰였다. 장미과의 낙엽 관목으로 여름이 끝날 무렵에 열매가 달린다.

가을에 빨갛게 익는 타원형 열매는 옛날부터 강장제로 사용되었다. 칠레에서 주로 생산되며 씨를 냉압착 또는 용매 추출법으로 추출한다.

2차 세계대전 당시 영국에서 비타민의 공급원이었던 오렌지가 부족해지자 이에 대한 대안으로 비타민C 함량이 풍부했던 로즈힙을 시럽으로 만들어 비타민을 보충해 유명해졌다. 현재 로즈힙은 차로 널리 알려져 있으며 고급화장품 원료로 많이 쓰인다.

올레산이 5%, 리놀레산 40%, 알파리놀렌산 35%가 들어 있으며 피부 세포를 제생하고 흉터, 피부 화상, 주름살, 노화 피부, 임신선에 좋으며 건성, 손상, 노화 피부를 개선해주는데 효과적이다.

남미 의사들의 실험에 의하면 화상 얼굴 주름 수술 후 생긴 상처 자국에 큰 효과가 있다고 한다.

특히 입가, 눈가의 깊은 주름에 효과가 있지만 햇빛에 건조해지는 역효과가 있다. 여드름 피부에는 모공을 막을 수 있어 주의한다. 상처 조직에 있는 켈로이드(keloid) 형성을 억제하고 착색을 감소화하는데 사용된다. 게다가 불포화지방산 함유량이 높아 산패가 빠르므로 냉장 보관한다.

12. 해바라기 오일(Sunflower Oil)

- 학명: Helianthus annuus
- 과명 : 국화과(Asteraceae)
- 추출 부위 : 해바라기의 씨
- 원산지 : 유럽, 아프리카

어느 곳에서든지 잘 자라지만 특히 양지바른 곳에서 잘 자란다. 중앙아메리카가 원산지이며 널리 심고 있다. 해바라기 씨에는 태아의 피부를 덮고 있는 태지와 비슷한 성분이 함유되어 있어 아기 피부에 사용해도 될 만큼 안전하며 보습 효과가 있다. 신생아와 유아에게 발라주면 유해균의 감염으로부터 피부를 보호하고 촉촉하게 해준다.

리놀레산 60%, 세포의 구성 성분인 레시틴과 비타민A와 E를 함유하고 있어 노화 예방에 효과가 있다. 건조하고 예민한 피부의 수분을 유지하여 피부를 촉촉하고 부드럽게 해주며, 가려움과 예민함을 진정시켜 여드름을 유발하지 않게 하는 오일로 피부에 보호막을 형성하여 겨울에 특히 사용하기 좋다. 비용이 저렴하여 인퓨즈나 마사지 오일로 많이 사용되고, 느낌이 가볍고 상쾌하여 피부 트러블, 발목염좌나 타박상, 관절성 염증에 좋다. 산화가 빠르므로 가급적 빨리 사용해야 한다.

13. 윗점 - 맥아 오일(Triticum Vulgare Wheatgerm Oil)
- 학명: Triticum vulgare
- 과명: 벼과(Poaceae)
- 추출 부위: 밀의 눈
- 원산지: 유럽, 아프리카

밀과 보리 같은 식물을 맥류라 하는데, 소맥(小麥)은 밀을 의미하고 대맥(大麥)은 보리를 말한다. 이중 소맥의 씨눈(배아)을 건조시킨 뒤 나선형 압착기로 압착하면 기름을 얻을 수 있는데, 이것을 맥아 오일 또는 윗점(Wheat germ)오일이라 부른다. 이 오일은 다른 식물에서 쉽게 발견되지 않는 옥타코사놀(octacosa nol)이 함유되어 있어 근육 조직에 축적된 젖산의 비율을 낮추어 준다.

강한 향과 점성 때문에 단독으로는 잘 사용하지 않으며 다른 캐리어 오일과 섞어서 사용하는 것이 좋다. 리놀레산 55%, 올레산 20-30%, 비타민E가 매우 풍부하여 천연 산화방지제 역할을 하고, 산화 안전성이 뛰어나 다른 캐리어 오일에 5-10% 정도 블렌딩을 하면 산화 작용을 늦추어 보존기간이 길어진다.

체내의 산화 작용을 방지하고 혈액 순환을 촉진하여 수족냉증에 도움이 되고 근육의 피로를 회복하며 손상 피부의 치유, 습진, 임신선과 흉터의 감소, 피부 탄력 촉진에 도움이 된다.

그러나 피부가 민감한 사람에게는 알러지를 일으킬 수 있기에 주의한다. 피부 재생 효과가 있어 수술 등의 상처 자국을 줄여주고 건성 및 노화 피부에 좋다. 순수 냉압착 방식으로는 추출이 어려워 인퓨즈드 또는 용매추출을 한다

3. 하이드로졸(hydrosol)

하이드로졸은 에센셜 오일과 함께 수증기 증류법으로만 생산된 것을 의미한다. 간혹 시중에서 증류수에 에센셜 오일을 희석하거나, 허브를 우린 물 또는 보존제를 넣어 판매하는 경우가 있으니 주의해야 한다.

하이드로졸은 수용성 용액이라는 의미의 화학적 용어이다. 흔히 플로랄 워터(floral water)라고도 한다.

방향성 약용 식물의 꽃, 잎, 열매, 목재, 뿌리 등을 수증기 증류하는 과정에서 에센셜 오일과 함께 추출되는 공동 산출물로 증기로 사용된 물에 그 식물 특유의 수용성, 휘발성 향성분이 섞이게 된다.

이렇게 추출된 하이드로졸과 에센셜오일은 물질이 가지고 있는 PH로 구분하며, 서로의 유효성분을 나누어 가지게 된다. (하이드로졸 PH 2.5~6.5, 에센셜오일 PH 5.5~5.8)

하이드로졸은 에센셜오일에서는 발견되지 않지만 추가적인 성분을 함유하고 있다. 이 하이드로졸은 일반적으로 에센셜오일과는 상당히 다른 향을 갖고 있으며, 다양한 화학구조를 함유하고 있는 성분을 가지고 있다.

증류법을 통해서만 얻어지는 식물의 유효성분이다. 증기가 식물성 물질을 통하면서 생기는 열이 세포의 벽을 가르며 휘발성 화합물질을 생성하는데, 이때 정유와 함께 얻어지는 수용성 유효성분을 하이드로졸이라고 한다.

에센셜오일이 식물의 엑기스로서 소량만을 사용해 효과를 보기도하고, 또 강력한 약리효과로 인해 과도하게 사용하게 되면 부작용이 생기기도 한다. 하지만 하이드로졸은 에센셜오일보다는 보다 쉽게 흡수되며, 안전하고 편안하게 작용하기도 한다. 물론 적절한 약리효과는 에센셜오일보다는 못 미칠 수 있다.

하이드로졸은 다음과 같이 매우 다양한 용도로 이용할 수 있다.
- 페이셜토너나 애프터 쉐이브
- 목욕시 입욕제
- 상처 소독시
- 샴푸 또는 클렌저로 사용(다른 제품과 함께 섞어 희석해서 사용)
- 메이크업 클렌징

이외에도 화상이나 벌레물림, 상처, 여드름, 관절통, 염증, 습진 등의 경우에 약리효과를 기대하며 사용할 수 있다.

하이드로졸은 방부, 살균 효과를 가지고 있으며, 피부의 PH를 조절해주고 피부에 보습효과를 주어 피부질환과 알레르기 반응을 예방 경감시키는 작용을 한다.

하이드로졸도 에센셜 오일과 마찬가지로 서로 혼합하여 사용하면 시너지 효과를 얻을 수 있다. 독성이 없어서 어린 고양이와 강아지, 토끼와 같은 동물에게도 안전하게 사용할 수 있다.

다만, 하이드로졸은 에센셜오일과 달리 보관에 세심한 주의가 필요하다. 알코올이나 다른 화학 첨가물이 없는 경우에서는 4개월정도까지 사용할 수 있으며, 적절하게 보관하면 최대 1~2년까지 보관이 가능하다. 하이드로졸은 어두운 용기에 보관하는 것이 가장 좋으며 직사광선을 피하고 쾌적한 곳에서 보관해야 한다.

종 류	사용처 및 효과, 특징
카모마일 저먼	항염 및 가려움증, 자극 받은 민감한 피부, 화상, 일광화상, 습진, 건선, 발진
카모마일 로만	건성, 민감성 피부에 항염 효과, 어린이 아토피 치료, 진정(수렴)효과
주니퍼 베리	해독 및 순환 촉진, 부종 완화, 진정작용, 상쾌함, 지성피부에 적합
라벤더	벌레 물린 곳, 피부 진정 및 균형조절, 지성, 민감성, 염증성 피부, 화상 피부(일광화상)에 진정효과, 땀띠 치료
멜리사	목욕, 피부세정, 항바이러스성(포진,발진) 피부질환 및 습진 치료
네롤리	피부세정 및 균형조절, 유연효과(거칠거나 건성피부), 강한수렴성(지성피부), 악건성피부는 사용자제
페퍼민트	피부 세정, 스킨토너, 여드름 쿨링효과, 목욕, 구취제거용, 방부, 가려움증 완화, 발적, 염증 완화
로즈	모든 피부에 진정효과, 긴장완화
로즈마리	수렴 효과(지성피부, 복합성 피부), 피부활력 증진, 피부 노폐물 배출, 지친 발의 원기회복
티트리	항진균, 항균, 항바이러스, 항염, 자상, 찰상, 상처소독, 거담, 코막힘
위치하젤	항염, 소독효과, 항진균, 수렴, 항산화 효과, 정맥류와 치질에 스프레이로 사용

<표 8 하이드졸의 종류와 특징>

PART 2
코칭의 이해

Chapter 01. 코칭의 개념과 기본 요소

<코치의 선서>
나는 한국코치협회의 인증코치로서 코치다운 태도와 코칭다운 실행의 삶을 산다.
하나, 나는 모든 사람의 무한한 잠재력을 믿고 존중한다.
하나, 나는 고객의 변화와 성장을 돕기 위해 헌신한다.
하나, 나는 공공의 이익을 중시하며 조직, 기관, 단체와 협력한다.
하나, 나는 협회의 윤리규정을 준수하며, 협회와 코치의 명예를 지킨다.

위 내용은 (사)한국코치협회의 〈코치의 선서〉이다. '코칭의 이해' 파트를 학습하고 난 뒤 〈코치의 선서〉를 다시 읽는다면, 짧은 〈코치의 선서〉에 코칭의 개념과 철학이 얼마나 잘 담겨있는지 알게 될 것이다. '코칭의 이해' 파트를 통해 전문가로서의 역량을 갖추고, 코칭에 대한 자신의 가치관과 신념을 정립하여 유연하지만 강력한 에너지를 소유한 코치가 되어보도록 하자.

1. 코칭의 개념
1) 코칭의 정의
코칭(coaching)은 코치가 고객과 파트너가 되어 함께 하면서 고객의 내면에 있는 잠재력을 발견하고 고객 스스로가 목표를 달성하고 성장할 수 있도록 지원하는 과정이다.

코칭은 헝가리의 Kocs(코치) 지방에서 고안된 '말이 끄는 사륜마차'에서 유래했다. 목적지로 편하고 빠르게 가기 위한 운송수단이었던 사륜마차를 사람들은 자연스럽게 '코치'라고 부르게 되었다. 현재 있는 곳에서 원하는 목적지로 편하고 바르게 이동하는 운송수단 '코치'에 접미사 'ing'가 붙어 운송 행위 '코칭'이 되었다. 코칭의 개념은 훈련(training)의 어원인 기차(train)와 비교하여 설명할 수 있다. coach(마차)는 현 지점에서 출발하여 원하는 목적지까지 데려다주는 개별 서비스 인데 비해 train(기차)은 승객이 역까지 가서 승차한 후 다른 사람들과 함께 같은 속도와 경로로 정해진 종착지에서 하차해야 하는 집단 서비스이다. '현 지점'이 '현 상태'로, '목적지'가 '원하는 상태'로 어원이 발전하여 '현 상태에서 원하는 상태로 변화·성장할 수 있도록 도와주는 교육 훈련'을 '코칭'이라 부르게 됐다.

구분	코칭	트레이닝
의미	소수 맞춤식 교육훈련	집단집체훈련
커리큘럼	반드시 필요하지는 않다	반드시 필요하다
시작과 종료	고객이 결정	강사가 결정
고객 수	소수	다수
비용	상대적으로 고비용	상대적으로 저비용

<표 9 코칭과 트레이닝의 비교(출처: 「리더의 코칭」, 배용관)>

코칭은 코치가 목표를 정하고 주도해 가는 수직적인 관계가 아닌 고객이 스스로 목표를 정하고 달성할 수 있도록 수평적 관계에서 지지하고 지원하는 과정인 것이다.

2) 코칭과 유사한 용어의 비교

코칭은 카운슬링(counseling), 치료(therapy), 교육훈련(training), 컨설팅(consulting), 멘토링(mentoring) 등과 유사한 접근방법으로 광범위하게 사용되고 있지만 코칭은 나름의 독특성을 가지고 있다. 즉, 코치와 고객 간의 수평적인 파트너십 관계에서 고객이 지닌 문제를 고객 스스로 해결할 수 있도록 코치가 적극적으로 지원하는 전문적 접근이라는 측면에서 다른 분야와의 차별성을 지닌다(최신 코칭학개론, 2023).

분야	목적	초점	방법	의제	모델
멘토	삶의 경험에서 획득한 지식과 방법 전수	멘토의 강점과 실제 경험	공유, 본보기, 지도	주제, 멘토	부모와 자식
컨설턴트	전문적인 지식과 자문	문제해결	관찰, 대화, 조언	완료 또는 해결해야 할 과업이나 문제	스승과 학생
카운슬러	지나간 고통과 문제, 상심에서 벗어나게 도움	지나간 감정적 상처들	치유	카운셀러	의사와 환자

| 코치 | 자아 발견과 빠른 성장을 지원 | 미래의 목표와 실행 계획 | 강력한 질문하기 | 고객 | 파트너 |

<표 10 <코칭과 유사 용어의 특징 비교> 출처: Joe Donaldson(2013)>

2. 코칭의 철학

철학(哲學)은 세계와 인간의 삶에 대한 근본적인 질문을 다루며, 무엇이 옳고 그른지에 대해 판별하는 학문이다. 철학은 일상생활에서 우리가 마주치는 다양한 문제와 질문에 대한 깊은 이해를 제공하며, 다른 학문 분야에서 다루기 어려운 주제들을 철학적 방법으로 접근하여 탐구하게 한다.

이런 관점에서 볼 때 코칭 철학은 코칭을 하기 전에 혹은 하는 도중 기본전제가 되는 인간을 바라보는 사고방식이나 사물을 이해하는 관점을 말한다(『최신코칭학개론』, 2023). 코칭이 효과적으로 진행되기 위해서는 코칭 철학, 코칭 기술, 코칭 툴을 아우르는 역량이 필요하다. 코칭을 나무에 비유한다면 코칭 철학은 뿌리에 해당 한다(『코칭 핵심 역량』, 2022).

코칭은 모든 인간은 성장 가능성과 무한한 가능성이 있음을 기본전제로 하며, 『마법의 코칭』을 저술한 에노모토 히데타케(Enomoto Hidetake)는 코칭 철학을 다음과 같이 정의했다.

- 모든 사람에게는 무한한 가능성이 있다.(Holistic&Creative)
- 그 사람에게 필요한 해답은 모두 그 사람 내부에 있다.(Resourceful)
- 해답을 찾기 위해서는 파트너가 필요하다.(Partner)

또한 국제코치협회(ICF)에서는 모든 사람은 온전하고(Holistic), 해답을 내부에 가지고 있고(resourceful), 창의적인(creative) 존재라고 말하며 한국코치협회(KCA)는 고객 스스로가 자신의 사생활 및 직업생활에 있어 그 누구보다도 잘 알고 있는 전문가로서 존중하며, 모든 사람은 창의적이고, 완전성을 추구하고자 하는 욕구가 있으며, 누구나 내면에 자신의 문제를 스스로 해결할 수 있는 자원을 가지고 있다고 설명한다.

3. 코칭 윤리

코칭 윤리는 코치와 고객 간의 관계에서 매우 중요한 역할을 한다. ㈜한국코치협회에서는 전문코치가 되는 기준으로 가장 중요하게 다루는 것이

코치윤리이며, 코치가 지켜야 하는 윤리규정은 매우 엄격하다. (사)한국코치협회는 윤리강령, 윤리규칙, 부칙으로 나누어져 있고 윤리규칙은 기본윤리, 코칭에 대한 윤리, 직무에 대한 윤리로 나누어져 있다. 또한 국제코칭연맹(ICF)에서도 코칭 윤리에 대한 강령을 제공하며 제1부 도입, 제2부 핵심 정의, 제3부 ICF 핵심 가치와 윤리원칙, 제4부 윤리기준, 제5부 서약 등 5가지 주요 부분으로 구성한다. (사)한국코치협회와 국제코칭연맹(ICF) 윤리규정에 대한 자세한 사항은 본 책의 부록에서 자세히 확인할 수 있다.

코치는 코치로서 기본 윤리를 준수하고 실천해야 한다. 또한 코칭, 직무, 그리고 고객에 대한 윤리를 준수하고 실천해야 한다.

(사)한국코치협회 윤리규정에 대한 맹세

나는 전문코치로서 (사)한국코치협회 윤리규정을 이해하고 다음의 내용에 준수합니다.
1. 코치는 개인적인 차원뿐 아니라 공공과 사회의 이익도 우선으로 합니다.
2. 코치는 승승의 원칙에 의거하여 개인, 조직, 기관, 단체와 협력합니다.
3. 코치는 지속적인 성장을 위해 학습합니다.
4. 코치는 신의 성실성의 원칙에 의거하여 행동합니다.

만일 내가 (사)한국코치협회의 윤리규정을 위반하였을 경우, (사)한국코치협회가 나에게 그 행동에 대한 책임을 물을 수 있다는 것에 동의하며, (사)한국코치협회 윤리위원회의 심의를 통해 법적인 조치 또는 (사)한국코치협회의 회원자격, 인증코치자격이 취소될 수 있음을 분명히 인지하고 있습니다.

<표 11 한국코치협회 윤리규정에 대한 맹세>

4. 코칭의 과정

코칭은 고객과 코치가 함께하며 고객의 리얼 이슈를 알아차리고 이를 해결해 가는 과정이다. 이를 위해 코치는 전문적인 기술을 갖춰야 하지만, 이것 뿐만 아니라 코칭 과정 전체를 관리할 수 있어야 한다. 코칭 과정은 코칭이 시작하는 시점부터 진행되는 과정, 끝나는 순간까지를 의미한다.

코칭의 과정은 3단계로 구분해볼 수 있다. 1단계는 코칭 준비 단계, 2단계는 코칭 실행단계, 3단계는 코칭 마무리 단계이다. 각 단계의 세부 내용은 아래와 같고, 「최신 코칭학개론」의 내용을 일부 참고했다.

1단계: 코칭 준비 단계

코칭을 시작하기 전 준비 단계는 매우 중요하다. 이 단계를 통해 코치는 코칭의 효과를 극대화시킬 수 있으며, 코치와 고객 간의 성공적인 관계를 구축하는 데 기여하기 때문이다.

  (1) 고객과 코치의 만남
  (2) 코칭 합의
      ① 코칭 진행에 필요한 기본 사항 합의
        - 비용, 일정, 기간, 종결, 비밀 보장 등
      ② 코칭 계획 및 목표 설정
        - 고객이 원하는 명확한 목표를 설정
  (3) 사전 인터뷰 및 진단
      ① 사전 인터뷰
      ② 사전 진단

2단계: 코칭 실행 단계

코칭 과정에서 가장 핵심적인 부분이며, 코치와 고객이 긴밀하게 협력하여 목표 달성을 위한 실질적인 방안을 모색하고 실행에 옮기게 된다.

  (1) 세션 목표 함께 정하기
  (2) 세션 목표 유지하기
  (3) 세션 목표 달성 확인을 위한 척도 정하기
  (4) 세션 시간 관리와 초점 유지하기
  (5) 대화의 흐름에 고객과 함께하기
  (6) 목표 달성을 위한 과정을 중요시하기

3단계: 코칭 마무리 단계

코칭 마무리 단계에서는 코칭의 성과를 확실히 하고, 고객은 이것을 통해 지속적으로 발전할 수 있는 기반을 마련한다.

  (1) 성과 정리
  (2) 향후 계획 수립
  (3) 지원과 격려 제공
  (4) 피드백 수집

5. 코칭의 기술
1) 경청
(1) 경청의 개념

경청(傾聽)이라는 단어의 의미는 몸과 마음을 다해 주의 깊게 집중해서 듣는 것이다. 경청은 커뮤니케이션에서 가장 기본이 되는 것이며 코칭에서는 코치의 핵심 역량에 포함될 정도로 매우 중요한 요소이다. 경청은 상대의 말을 잘 들음으로써 실제 말 뒤에 숨어 있는 의도나 실제적인 관점, 말하는 사람의 삶 속에 들어있거나 삶을 배경으로 나타난 사실들을 듣고 보기 위해 전후 관계의 실마리를 놓치지 않고 문맥의 내용을 이해하는 것이다. 경청을 통해서 상대의 현재 욕구를 제대로 이해할 수 있고, 상대가 존중받고 있음을 느낄 수 있도록 하는 효과를 가지고 있다(최신 코칭학개론, 2023). 지금까지 우리는 '잘 들어준다'라는 개념으로 경청을 이해해왔지만 코칭을 공부한다면 '잘 들어준다'는 개념에서 '알게 표현해준다'는 개념으로 경청의 수준을 높여야 한다(『리더의 코칭』, 배용관).

(2) 경청의 종류

경청은 크게 두 가지로 나누어볼 수 있는데 말하는 사람을 방해하지 않고 조용히 듣는 '수동적 경청'과 열심히 듣기만 하는 것이 아니라 고객의 입장에서 공감하면서 듣는 '적극적 경청'이다. 수동적 경청만으로는 말하는 사람의 메시지를 정확하게 이해하지 못할 수 있기 때문에 효과적인 소통을 위해서는 말하는 사람과 듣는 사람이 충분히 상호작용하며 상호 이해 수준을 높여 가야 하며, 들은 것에 대해 반응함으로써 대화에 보다 적극적으로 참여하는 자세가 필요하다(『코칭핵심역량』, 2022).

종류	상호작용	이해 수준
수동적 경청	낮음	낮음
적극적 경청	높음	높음

<표 12 수동적 경청과 적극적 경청>

2) 질문하기
(1) 질문하기의 개념
질문하기는 보통 알고자 하는 것을 얻으려고 묻는 것이지만 코칭에서의 질문하기는 단순한 의사소통의 차원을 넘어 강력한 힘을 가지고 있으며(한국코칭학회), 고객이 그 질문에 대한 대답을 했을 때 고객에게 유익이 생기는 것이다(최신 코칭학개론, 2023). 따라서 코치 자신의 궁금증과 의문을 해소하기 위해 던지는 질문보다는 고객에게 유익이 되고, 고객 스스로가 자신의 것을 발견하도록 도울 수 있는 질문을 해야 한다.

코칭에서는 '강력한 질문'이라는 표현을 사용한다. 왜냐하면 코치의 질문을 통해 고객에게 새로운 변화가 일어나고 고객이 목표하는 것을 위해 전진할 수 있도록 하며 알아차림을 일으킬 수 있기 때문이다.

(2) 질문하기의 효과

인간은 생각하는 동물이며 그 생각은 질문과 대답으로 이루어져 생각에 따라 자신의 행동을 선택하게 된다. 따라서 질문은 행동을 시작하는 첫 단추가 된다고 해도 과언이 아니다. 「질문의 7가지 힘」의 저자인 동기부여 강사 도로시 리즈는 질문의 힘과 효과를 다음과 같이 말했다.

- 질문을 하면 답이 나온다.
- 질문은 생각을 자극한다.
- 질문을 하면 정보를 얻는다.
- 질문을 하면 통제가 된다.
- 질문은 마음을 변화시킨다.
- 질문은 귀를 기울이게 한다.
- 질문에 답하면 스스로 설득이 된다.

코칭에서 질문하기의 개념을 설명하며 '강력한 질문'이라는 표현을 사용했다. 그렇다면 강력한 질문하기의 효과는 무엇일까? 강력한 질문하기는 고객으로 하여금 자신이 말한 것의 본질이 무엇인지, 자기 자신이라는 존재를 어떤 존재인지를 더 넓게 탐색하게 함으로써 새로운 지평을 열어준다(「코칭 핵심 역량」, 2019).

(3) 질문하기의 방법

일상생활에서의 질문과 코칭에서의 질문은 다소 차이가 있다. 코칭에서의 적절한 질문하기 방법은 무엇인지 알아보도록 하자.

① 상대중심적 질문

일상에서 우리는 내가 궁금하고 내가 알고 싶은 정보에 대한 답을 얻기 위해서만 질문한다. 하지만 코칭에서의 질문은 상대중심적이며 질문의 초점이 코치가 아닌 고객에게 있다. 그렇기에 질문하기 전에는 명확한 목표를 설정해야 한다. 목적을 설정하면 질문의 방향성이 명확해지며 상대방도 더 정확하게 대답할 수 있게 된다.

② 열린 질문

코칭에서는 닫힌 질문이 아닌 열린 질문을 해야 한다. 닫힌 질문이란 "예/아니오"로 답변할 수 있는 질문을 뜻하고 열린 질문이란 어떤 대답이든 가능하도록 그 가능성을 열어둔 질문이다. 열린 질문은 고객의 사고력과 상상력을 자극하여 독특하고 다양한 답을 내놓도록 돕는다(우수명, 2019). 열린 질문을 하는 핵심 요령은 육하원칙에 입각한 질문을 하는 것이다.

- 열린 질문 예시
  "무슨 이유로 당신에게 그렇게 말했을까요?"
  "당신이 기대했던 것은 무엇인가요?"
  "당신이 그렇게 행동했던 이유는 무엇인가요?"
  "당신의 어떤 의도가 당신을 그렇게 행동하게 하였나요?"

③ 긍정적 관점에서의 질문

코칭에서는 부정적 관점의 질문이 아닌 긍정적 관점의 질문을 해야 한다. 「리더의 코칭」에서 배용관 교수는 이를 동반자적 질문 유형과 심판자적 질문 유형이라고 설명한다. 동반자적 질문의 특징은 문제 해결에 초점을 맞추고 있고, 상생의 관계를 구축하지만 심판자적 질문의 특징은 비난에 초점을 맞추고 있으며, 승패의 관계로 몰아간다. 그렇다면 우리는 어떤 질문을 해야 겠는가? 고객이 자신의 리얼 이슈를 발견하여 문제를 해결하고 자기 자신을 알아차릴 수 있는 동반자적 질문, 곧 긍정적 관점에서의 질문을 해야 한다.

- 긍정적 관점에서의 질문(동반자적 질문)의 예시
  "제가 당신을 도와줄 수 있는 좋은 방법이 있을까요?"
  "동일한 실수를 반복하지 않을 수 있는 방법을 찾아보면 어떨까요?"

"용기를 가지고 도전한다면 당신은 어떤 성장을 이룰 수 있을까요?"

• 부정적 관점에서의 질문(심판자적 질문)의 예시
  "왜 그랬나요?"
  "그것은 당신의 부족함으로 인해 발생한 실수 아닌가요?"
  "그렇게 자신 없으면 아예 도전하지 않는 게 낫지 않을까요?"

④ 미래 질문
미래 질문은 이미 지나간 과거가 아닌 앞으로 다가올 미래에 초점을 맞춰 질문하는 것이다. 미래 질문은 고객의 에너지가 과거에 머무르는 것이 아니라 미래를 향하게 하여 고객의 잠재력을 발견하고 성장시킬 수 있다.

• 미래 질문 예시
  "앞으로 어떻게 하면 고객님의 목표를 달성하는 데 도움이 될까요?"
  "지금처럼 노력한다면 한 달 뒤 고객님의 모습은 어떠할 것 같나요?"

3) 인정과 칭찬

인정과 칭찬은 유사한 개념으로 지지적 피드백에 해당하며, 이는 사람들 사이의 긍정적인 관계를 구축하고 개인의 성장과 발전을 촉진하는 데 매우 중요한 역할을 한다. 칭찬을 하려면 상대방을 인정해야 하고 상대방의 어떤 부분을 구체적으로 인정하는 것은 곧 칭찬이 된다. 인정은 그 사람을 있는 그대로 받아들이는 것이고, 칭찬은 그 사람의 장점이나 특정 행위에 대해서 잘한 부분을 칭찬해 주는 것이다(이소희 외, 2016). 코칭에서의 칭찬은 고객의 잠재력을 극대화한다.

(1) 인정의 중요성과 효과

인정은 상대방을 있는 그대로 수용해주는 것이다. 누군가로부터 인정받는 것은 자아존중감을 높이고 자신감과 자아효능감을 향상시키는 데 도움이 된다. 이는 개인이 자신의 능력을 믿고 새로운 도전에 더 적극적으로 임하게 만든다.

• 인정하기 방법
 - 경청하기

- 공감하기
- 지지하기
- 장점 발견하기
- 원하는 것을 밝히고 비전 갖기
- 더 많은 것을 원하기
- 진정성을 가지고 직접적으로 말하기
- 적절한 침묵하기
- 인정 수용하기
- 축하하기

(2) 칭찬의 중요성과 효과

칭찬은 긍정적인 행동을 강화하고, 이를 반복할 수 있는 동기를 부여하는 것이다. 진정성 있는 칭찬은 고객을 변화시키고, 어려운 상황도 역전시킬 수 있는 원동력이 되기도 한다.

- 칭찬하기 방법
- 구체적으로 칭찬하기
- 결과뿐 아니라 그 과정과 노력도 칭찬하기
- 집단보다는 개별적으로 칭찬하기
- 사소한 것도 칭찬하기
- 칭찬의 내용이나 방법도 상대방에게 맞게 하기
- 적절한 타이밍에 칭찬하기
- 격조 있는 언어로 진정성을 가지고 칭찬하기
- 공개적으로 칭찬하기
- 타인이나 제 삼자에게도 그 사람을 칭찬하기
- 필요하면 말뿐 아니라 보상으로 칭찬하기

4) 피드백

(1) 피드백의 개념

피드백은 단순히 정보나 의견을 전달하는 행위를 넘어선다. 피드백이란 말하고자 하는 것을 적절한 시기에 간결하고 중립적인 언어로 표현하는 것을 의미한다(도미향, 2008).

(2) 피드백의 효과

피드백은 코칭 대상자(고객)에게 자신의 행동, 생각, 감정 등에 대한 깊은 인식을 제공하고, 이를 통해 자기 자신을 더 잘 이해하고 발전시킬 수 있는 계기를 마련해주는 과정이라 말하고 있다(한국코칭학회). 즉, 코칭에서 피드백은 단순한 정보의 교환을 넘어서, 대상자의 자기 인식, 자기계발, 그리고 변화를 촉진하는 강력한 도구로 작용한다.

피드백은 대상자가 자신의 내면과 외면을 더 잘 파악하게 하며, 자신의 목표와 가치에 부합하는 변화를 이끌어 내는 데 중요한 역할을 한다. 「최신 코칭학 개론(2023)」에서는 피드백을 통해 고객이 받은 질문에 대한 답을 할 때, 그 과정 자체에서 고객에게 새로운 통찰이나 깨달음이 생기며, 이는 곧 고객에게 실질적인 이익으로 연결된다고 설명한다. 즉, 코칭에서 피드백의 제공은 고객이 자신의 생각과 행동을 재평가하고, 자신만의 답을 찾아가는 과정에서 귀중한 학습의 기회를 제공한다.

(3) 피드백의 종류

피드백은 긍정적 상황에서의 피드백과 부정적 상황에서의 피드백으로 나눠볼 수 있다. 긍정적인 상황에서는 어떠한 행동을 반복하게 하기 위한 지지적 피드백과 미미한 반응을 보임으로써 아무런 효과도 발생하지 않는 무의미한 피드백으로 나눠볼 수 있다. 부정적인 상황에서는 행동의 변화를 일으킬 수 있는 교정적 피드백과 대상자를 비난하고 경멸하는 언어를 통해 모멸감을 느끼게 하는 학대적 피드백이 있다.

① 지지적 피드백

긍정적인 결과와 성과에 대해 잘한 것을 인정하고 칭찬하여 그 행동을 반복할 수 있도록 하는 피드백이다.

② 무의미한 피드백

행동의 변화를 전혀 유발시키지 못하는 피드백이다. 무의미한 피드백은 피드백의 대상 스스로가 아무런 존중과 주목을 받지 못하고 있다는 생각을 주게 된다.

- 예시
  "○○씨 잘하네!" → 구체성이 없는 피드백

"제대로 해!" → 구체성이 없는 피드백

③ 교정적 피드백
부정적인 결과와 성과가 나왔을 때 어떠한 행동의 변화를 일으키게 하는 피드백이다.

- 교정적 피드백의 10가지 고려 요소
- 감정 제거하기
- 상대방의 발전을 위한다는 마음 전달하기
- 독립적이고 고요한 공간에서 하기
- 적절한 시간에 하기
- 사람이 아닌 행위에 집중하기
- 일반화나 돌려 말하기를 피하기
- 상대방이 이해했는지 확인하기
- 앞으로 나아가기 위한 목표와 목표를 달성하기 위한 과정과 절차, 해결 방법 등 구체적인 방법 이야기하기
- 상대방을 인정하고 나의 기대치 이야기하고 마무리하기
- 필요 시 내가 취할 사후 조치도 언급하기

④ 학대적 피드백
부정적인 결과와 성과가 발생했을 때 듣는 이로 하여금 부정적인 감정에 휩싸이게 하는 피드백이다.

- 예시
"너는 정말 도움이 하나도 안 돼!"
"도대체 네가 잘하는 건 뭐야?"
- 그 외 욕이나 경멸의 단어가 섞인 피드백

Chapter 02. 코칭 모델

1. GROW 모델

GROW 모델은 전 세계에서 가장 많이 사용하고 있는 대화 모델이다. 영국의 존 휘트모어의 저서 「성과향상을 위한 코칭리더십」(Whitmore, 2019)에 처음 소개되었다. GROW 모델은 4단계로 구성되어 있으며 각 단계는 Goal(목표), Reality(현실), Options(선택지), Will(의지)이다.

GROW 모델의 첫 번째 단계는 목표(Goal)를 설정하는 것이다. 목표는 SMART 기준에 따라 구체적(Specific), 측정 가능(Measurable), 달성 가능(Achievable), 관련성 있게(Relevant), 시간제한이 있는(Time-bound)으로 설정되어야 한다.

두 번째 단계는 현실(Reality)를 평가하는 것이다. 고객의 현재 상황, 장애물, 강점 등을 고려해 현실적인 분석을 하고 이를 통해 목표 달성에 영향을 미치는 요소들을 파악해 자기인식을 높인다.

세 번째 단계에서는 다양한 선택지(Options)를 고려하고 탐색한다. 다양한 전략과 방법을 고민하고 모색하여 각각의 장단점을 평가하고 최적의 방향을 찾는데 도움을 준다.

네 번째 단계는 실제 행동 계획과 의지(Will)를 강화하는 것이다. 고객은 선택한 방향에 따라 구체적인 행동 계획을 세우고 코치는 고객을 지지하고 동기부여하며 목표 달성을 위한 의지를 강화한다.

- GROW 모델 대화 단계
 - Goal: 목표 설정
 - Reality: 현실 평가
 - Options: 선택지를 고려하고 탐색
 - Will: 실제 행동 계획과 의지 강화

2. ACTIVE 모델

ACTIVE 모델은 한국코칭학회의 공식 코칭 프로그램인 CPA코칭에 포함되어있는 코칭 대화모델로서 남서울대학교의 도미향 교수가 만들었다.

ACTIVE 모델은 6단계로 이루어지며 코칭 대화의 방향과 목적을 설정해주고 목표 중심의 보다 효과적인 대화가 이루어질 수 있도록 설계되어 있다(이소희 외, 2014).

ACTIVE 모델의 첫 번째 단계는 마음 맞추기(Adjust)이다. 코치와 고객이 라포를 형성하는 단계이며 이 단계를 통해 편안하게 대화로 들어갈 수 있게 된다. 두 번째 단계는 주제 세우기(Concept)이다. 이 단계를 통해 코치는 고객이 원하는 상태를 찾게 되며 현재의 상태에서 원하는 목표를 명료화시키는 단계이다. 세 번째는 강점 높이기(Talent)이다. 고객의 내면과 경험의 탐색을 통해 강점을 찾아 변화의 가능성을 찾아가는 단계이다. 네 번째는 목표 세우기(Initiative)로 고객의 강점의 가능성을 열 수 있도록 명확한 목표를 수립하고, 실행 계획을 세우는 단계이다. 다섯 번째는 목표와 구체적인 계획을 실행하는 것을 구체화하여 점검하는 단계(Verify)이다. 마지막 여섯 번째는 힘 북돋우기(Encourage)로 계획된 목표를 잘 실행할 수 있도록 고객을 격려하고 지지하는 단계이다.

- ● ACTIVE 모델 대화 단계
- Adjust: 마음 맞추기
- Concept: 주제 세우기
- Talent: 강점 높이기
- Initiative: 목표 세우기
- Verify: 점검
- Encourage: 힘 북돋우기

3. AROMA 모델

AROMA 모델은 코칭에 아로마테라피를 접목시킨 최초의 코칭 대화 모델로 마중물평생교육원의 김세희 원장이 만들었다.

AROMA 모델은 5단계로 이루어지며 아로마를 통해 고객의 내면 상태와 리얼 이슈를 직관적으로 발견할 수 있도록 설계되었다. AROMA 모델의 첫 번째 단계는 관계형성(Agree)단계이다. 코치와 고객 간의 라포를 형성하며 코칭 세션에 대한 기대감과 이해도를 향상시킨다. 이후 두 번째 단계는 주제와 목표설정(Real Issue)이다. 이 단계에서 고객은 자신의 리얼 이슈를 확인하고 코칭의 목표를 설정한다. 세 번째는 현실점검(Observation)이다. 이 단계에서 코치는 고객이 가지고 있는 정서, 감정적 욕구에 대해 소통하며 신뢰감을 높일 수 있도록 돕는다. 네 번째는 실행계획(Make Plan)으로 고객이 자신이 가진 독창성과 탁월한 삶을 찾을 수 있도록 구체적인 실행 방법을 찾도록 지원하는 단계이다. 다섯 번째는 AROMA모델을 활용한 실행 후 피드백을 통해 사후 지원 여부 및 방법을 고민하는 성과점검(Appraisal) 단계이다.

- AROMA 모델 내화 단계
 - Agree: 관계 형성
 - Real Issue: 주제와 목표 설정
 - Observation: 현실점검
 - Make Plan: 실행계획
 - Appraisal: 성과점검

PART 3
아로마코칭의 이해

1. 아로마코칭의 개념

아로마코칭은 에센셜 오일의 향기를 통해 나의 내면 상태를 직관적으로 발견하고 전문화된 코칭 프로세스를 통해 내면에서 느껴지는 감정의 이유와 그 속에 감춰진 욕구를 발견하고 이해하여서 긍정적인 변화와 성상을 촉진하는 과정을 의미한다. 이는 현대 사회에서 강조되고 있는 건강과 웰빙에 대한 관심과 매우 잘 부합하는 특성이다.

아로마코칭이 아로마의 다각적 활용과 ESG경영과 더불어 친환경적 요소에 대한 관심이 높아짐에 따라 발전하고 성장하면서 설정할 비전과 전망을 구체화하는 데 중요한 기반을 제공할 것이다.

아로마코칭은 코칭과 아로마테라피의 탁월성을 더욱 극대화시켜 개인의 잠재력을 실현하고 내면의 힘을 깨우는 데 중점을 둔다. 통합적 접근 방식으로 코칭의 철학과 프로세스에 아로마테라피의 전인적 관점과 심리적 측면을 결합하였다. 전문적인 에센셜 오일의 활용으로 가장 빠르고 효과적으로 에센셜 오일의 향기를 사용하여 개인의 정서상태를 조절하고, 자기 인식을 높이며 무의식적인 욕구와 감정을 드러낼 수 있게 한다. 마지막으로, 아로마코칭은 개인이 자신의 내면을 탐색하고 자기 자신을 더 깊게 이해할 수 있도록 지원한다.

2. 아로마코칭의 효과

아로마코칭은 개인이 자신의 내면을 깊게 탐색하고 자기 자신을 더 잘 이해할 수 있도록 돕는 혁신적이고 통합적인 접근 방식으로 이러한 아로마코칭의 효과는 여러 가지로 정리 된다.

첫째, 에센셜 오일을 활용하며 얻게 되는 힐링과 웰빙효과. 코칭과 아로마테라피라는 두 분야의 긍정적 의도는 고객의 신체적, 정신적 측면에서 스트레스 감소라는 힐링효과를 먼저 선물하게 된다. 또한 신체, 정신, 감정적 웰빙을 통합적으로 지원하며 전반적인 삶의 질을 향상시키는데 기여한다.

둘째, 자신을 더 잘인식하고 이해하도록 돕는 자기 인식 증진 효과. 아로마코칭은 개인의 온전함에 대한 신뢰를 그대로 실천하게 한다. 그동안 무수히 많이 개발되고 사용되어진 도구, 방법론들과는 달리 아로마코칭은 고객을 기존의 틀 안에 넣고 정의하지 않는다. 고객의 무의식안에 잠들어있는 정서, 감정, 욕구를 직관적으로 끄집어 내며 그것을 있는 그대로 받아들일 수 있게 한다.

셋째, 감정 조절 효과. 아로마코칭에서 사용하는 에센셜 오일의 향기는 감정 상태를 조절하는데 효과적이며, 스트레스 감소, 집중력 향상, 긍정적인 감정 상태 유지와 촉진 등에 도움을 준다. 넷째, 변화와 성장의 촉진 효과이다. 아로마코칭은 고객이 자신을 더 잘 인식하고 이해하도록 한다. 그것을 바탕으로 자신의 장애물을 극복하고, 목표 달성을 위한 행동 계획을 수립하며, 자신의 잠재력을 최대한 발휘할 수 있도록 지원한다.

3. 아로마코칭의 비전과 전망

아로마코칭은 코칭과 아로마테라피의 통합적 접근을 통해 개인의 잠재력 발현과 내면적 성장을 촉진하는 혁신적인 방법이다. 이 접근법은 전통적인 코칭 방식에 아로마테라피의 심리적, 감정적 이점을 결합하여 개인이 자신의 욕구, 감정, 생각을 더 깊이 이해하고 긍정적인 변화를 이루도록 돕는다. 특히 현대 사회에서 직면하는 다양한 스트레스와 정신적 도전을 극복하려는 사람들에게 매력적인 대안을 제공한다. 이러한 아로마코칭의 비전과 가치를 개인적, 사회적, 전문적 차원에서 정리해본다.

1) 아로마코칭의 비전과 가치
(1) 개인적 차원의 비전과 가치
① 자기 인식의 증진

아로마코칭은 개인이 자신의 감정, 생각, 행동 패턴을 더 명확하게 인식하도록 돕는다. 이는 자기 자신에 대한 이해를 깊게 하고 자신의 행동과 반응을 더 잘 관리할 수 있도록 한다.

② 감정 조절과 스트레스 관리

에센셜 오일의 향기는 감정을 조절하고 스트레스를 감소시키는 데 효과적이다. 아로마코칭은 이러한 특성을 활용하여 개인이 스트레스와 감정적 도전을 더 잘 관리할 수 있도록 지원한다.

(2) 사회적 차원의 비전과 가치
① 웰빙과 건강 증진

아로마코칭은 신체적, 정신적, 감정적 웰빙을 증진 시키는 전인적 접근을 제공한다. 이는 개인의 전반적인 삶의 질을 향상 시키고, 사회적으로도 긍정적인 영향을 미친다.

② 대인 관계 및 커뮤니케이션 개선

자기 인식과 감정 조절 능력의 향상은 대인 관계 및 커뮤니케이션 능력을 개선하는 데 기여한다. 이는 가정, 직장, 사회적 상황에서의 긍정적인 상호작용을 촉진한다.

③ 지속 가능한 성장과 개발 지원

아로마코칭은 개인이 지속적으로 자신을 개발하고 성장할 수 있는 기반을 마련한다. 이는 사회 전반에 걸쳐 지속 가능한 발전을 지원하는 중요한 요소이다.

(3) 전문적 차원의 비전과 가치

① 코칭 및 치유 직업의 혁신

아로마코칭은 코칭, 심리학, 건강 관리 분야에 새로운 차원을 추가한다. 전문가들은 이를 통해 자신의 서비스 범위를 확장하고, 클라이언트에게 더 깊이 있는 지원을 제공할 수 있다.

② 연구 및 교육 분야의 발전

아로마코칭은 연구자와 교육자에게 새로운 연구 주제와 교육 커리큘럼 개발 기회를 제공한다. 이는 전문 분야의 지식과 실천을 발전시키는 데 기여한다.

이와 같이 아로마코칭은 개인과 사회에 다양한 혜택을 제공하는 통합적이고 혁신적인 접근 방식이다. 이는 사람들이 자신의 잠재력을 발견하고 실편하도록 돕는 동시에 건강하고 조화로운 사회를 구축하는 데 중요한 역할을 한다.

2) 아로마코칭의 전망

아로마코칭은 개인의 내면적 성장과 변화를 촉진하는 강력한 도구로서, 현대 사회의 복잡한 문제들에 대한 전인적이고 지속 가능한 해결책을 제공하는 데 큰 잠재력을 가지고 있다. 이러한 접근법은 미래의 웰빙 및 개인 발전 분야에서 중요한 역할을 할 것으로 기대된다.

(1) 광범위한 적용 가능성

아로마코칭은 그 자체만으로 독보적인 특성과 발전 가능성을 가지고 있기에 다양한 산업 및 전문 분야로 확장될 수 있는 잠재력을 가지고 있다.

의료, 코칭과 교육, 심리치료, 웰빙 등 적용될 수 있는 모든 분야로 아로마코칭의 적용 범위가 확대될 것으로 기대된다.

(2) 성장하는 웰빙 산업 내에서의 중요성 증가

전 세계적으로 증가하는 웰빙에 대한 관심과 투자는 아로마코칭과 같은 혁신적인 접근법에 대한 수요를 촉진할 것이다. 병원이나 클리닉 등의 의료 기관에서는 환자들의 고통을 줄이고 치료 과정을 향상시키는 데 아로마코칭을 활용할 수 있다.

아로마코칭은 향기를 통해 환자의 감정 상태를 안정시키고 긍정적인 마음 상태를 유도하는 효과를 가지고 있다. 또한, 아로마코칭은 치료 후 회복 과정에 있어 환자의 감정 상태를 관리하고, 의료진과 환자 간의 소통을 돕는 데도 사용될 수 있다. 이는 환자의 회복 과정을 가속화시키고, 더욱 효과적인 치료 결과를 가져올 수 있다.

(3) 과학적 연구와 실증적 증거의 확대

아로마코칭의 효과와 메커니즘을 밝히는 연구가 확대됨에 따라, 이 분야는 더욱 정교화되고 신뢰성 있는 방법으로 발전할 것이다.

(4) 교육 및 인증 프로그램의 발전

개인 코칭 뿐 아니라 그룹 코칭, 기업 교육, 웰빙 프로그램 등 다양한 분야에서 아로마코칭의 적용 범위가 확대되는 것은 더 전문적이고 경험많은 전문가를 양성할 필요성을 가져오게 된다. 아로마코칭 전문가를 양성하기 위한 교육 및 인증 프로그램의 개발과 표준화가 진행될 것이며 이는 전문성을 강화하고 분야의 신뢰도를 높이는 데 기여할 것이다.

4. 한국아로마코치협회 소개

1) 한국아로마코치협회란?

한국아로마코치협회는 교육청인가 평생교육원 부설 기관으로 2018년부터 아로마테라피와 코칭을 전문적으로 교육하며, 전문가를 양성하고 있는 기관이다. 아로마테라피와 코칭이라는 두 영역에서 오랜 시간 쌓아온 지식과 경험, 경력을 바탕으로 '아로마코칭'이라는 새로운 분야를 선두해 나가고 있다.

기존의 아로마테라피 중심, 코칭 중심으로 단순히 두가지를 붙여놓기만 한 것이 아닌, 새롭게 재정의되고 체계화된 "아로마코칭"을 전달하고 있다. 또한, 협회 강사/지부를 대상으로 한 수익화를 위한 브랜딩, 온라인 마케팅 영역의 노하우를 알려드리는 차별화된 프로그램과 시스템을 보유하고 있다.

현재, 전문 아로마테라피스트이자 프로코치로 지식, 경험, 경력을 갖춘 교수진들이 책임지고 있으며, 전문적인 수준의 강사, 코치를 양성하고 있다. FT자격을 수료한 후에는 개별적인 브랜드 마케팅 과정을 통해 파트너기관, 관련 창업 프로그램도 지속적으로 많은 관심을 받으며 진행되고 있다.

● 협회 본부 산하 파트너 기관 리스트
- 한국아로마코칭협회
- 한국아로마코칭센터
- 한국아로마코칭리더십센터
- 한국아로마코칭학회

● 협회 본부 산하 지부 리스트
- 서울지부
- 부산지부
- 천안아산지부
- 포항지부

2) 한국아로마코치협회 자격 인증 안내

한국아로마코치협회는 자질과 인성을 갖춘 코치를 양성하여 코칭과 아로마의 선한 의도가 담긴 향기를 널리 보급하고자 하는 목적을 가지고 있다.

이를 바탕으로 엄격한 자격시험을 통해 전문아로마코치 자격을 수여하는 코치 인증제도를 실시하고 있다. 한국아로마코치협회의 전문코치, 강사, FT로 활동하기 위해서는 전문적인 아로마코칭교육과 코칭실습이 필요하다.

(1) 한국아로마코치 인증자격

　　한국아로마코치협회 코치인증은 KAAC(Korea Aroma Associate Coach)와 KAPC(Korea Aroma Professional Coach), KAEC(Korea Aroma Emotional Coach) 세 종류가 있다.

　　인증시험에 지원하기 위해서는 인증자격을 가진 한국아로마코치협회 본부와 산하 파트너기관의 프로그램을 수료한 후 지원할 수 있다. 관련 내용의 업데이트 및 세부사항은 협회 홈페이지에서 확인가능하다.

한국아로마코치 인증시험 프로세스

(2) 한국아로마코치 자격 요건

아로마코치 인증자격	KAAC	KAPC	KAEC
교육시간	30시간	70시간	110시간
고객추천서	1부	2부	2부
코치추천서	1부	2부	2부
필기시험	실시	실시	실시
실기시험	실시	실시	실시
코치인증자격 기간	3년	5년	5년
의무사항	KAAC는 취득 후 정회원비발생 각 코치인증자격 취득 후 자격유지보수교육 필수		

PART 4
부록

한국코치협회 윤리규정

윤리강령
1. 코치는 개인적인 치원뿐 아니라 공공과 사회의 이익도 우선으로 합니다.
2. 코치는 승승의 원칙에 의거하여 개인, 조직, 기관, 단체와 협력합니다.
3. 코치는 지속적인 성장을 위해 학습합니다.
4. 코치는 신의 성실성의 원칙에 의거하여 행동합니다.

윤리규칙
제1장 기본윤리
제1조 (사명)
1. 코치는 한국코치협회의 윤리규정에 준거하여 행동합니다.
2. 코치는 코칭이 고객의 존재, 삶, 성공, 그리고 행복과 연결되어 있음을 인지합니다.
3. 코치는 고객의 잠재력을 극대화하고 최상의 가치를 실현하도록 돕기 위해 부단한 자기 성찰과 끊임없이 공부하는 평생학습자(life learner)가 되어야 합니다.
4. 코치는 자신의 전문분야와 삶에 있어서 고객의 Role모델이 되어야 합니다.
제2조 (외국윤리의 준수]
코치는 국제적인 활동을 함에 있어 외국의 코치 윤리규정도 존중하여야 합니다.

제2장 코칭에 관한 윤리
제3조 (코칭 안내 및 홍보)
1. 코치는 코칭에 대한 전반적인 이해나 지지를 해치는 행위는 일절 하지 않습니다.
2. 코치는 코치와 코치단체의 명예와 신용을 해치는 행위를 하지 않습니다.
3. 코치는 고객에게 코칭을 통해 얻을 수 있는 성과에 대해서 의도적으로 과장하거나 축소하는 등의 부당한 주장을 하지 않습니다.
4. 코치는 자신의 경력, 실적, 역량, 개발 프로그램 등에 관하여 과대하게 선전하거나 광고하지 않습니다.
제4조 (접근법)
1. 코치는 다양한 코칭 접근법(approach)을 존중합니다. 코치는 다른 사람들의 노력이나 공헌을 존중합니다.
2. 코치는 고객이 자신 이외의 코치 또는 다른 접근 방법(심리치료, 컨설팅 등)이 더 유효하다고 판단 되어질 때 고객과 상의하고 변경을 실시하도록 촉구합니다.
제5조 (코칭 연구)
1. 코치는 전문적 능력에 근거하며 과학적 기준의 범위 내에서 연구를 실시하고

보고합니다.

2. 코치는 연구를 실시할 때 관계자로부터 허가 또는 동의를 얻은 후 모든 불이익으로부터 참가자가 보호되는 형태로 연구를 실시합니다.

3. 코치는 우리나라의 법률에 준거해 연구합니다.

제3장 직무에 대한 윤리

제6조 (성실의무)

1. 코치는 고객에게 항상 친절하고 최선을 다하며 성실하여야 합니다.

2. 코치는 자신의 능력, 기술, 경험을 정확하게 인식합니다.

3. 코치는 업무에 지장을 주는 개인적인 문제를 인식하도록 노력합니다. 필요할 경우 코칭의 일시 중단 또는 종료가 적절할지 등을 결정하고 고객과 협의합니다.

4. 코치는 고객의 모든 결정을 존중합니다.

제7조 (시작 전 확인)

1. 코치는 최초의 세션 이전에 코칭의 본질, 비밀을 지킬 의무의 범위, 지불 조건 및 그외의 코칭 계약 조건을 이해하도록 설명합니다.

2. 코치는 고객이 어느 시점에서도 코칭을 종료할 수 있는 권리가 있음을 알립니다.

제8조 (직무)

1. 코치는 고객, 혹은 고객 후보자에게 오해를 부를 우려가 있는 정보전달이나 충고를 하지 않습니다.

2. 코치는 고객과 부적절한 거래 관계를 가지지 않으며 개인적, 직업적, 금전적인 이익을 위해 의도적으로 이용하지 않습니다.

3. 코치는 고객이 고객 스스로나 타인에게 위험을 미칠 의사를 분명히 했을 경우 한국코치 협회 윤리위원회에 전달하고 필요한 절차를 취합니다.

제4장 고객에 대한 윤리

제9조 (비밀의 의무)

1. 코치는 법이 요구하는 경우를 제외하고 고객의 정보에 대한 비밀을 지킵니다.

2. 코치는 고객의 이름이나 그 외의 고객 특정 정보를 공개 또는 발표하기 전에 고객의 동의를 얻습니다.

3. 코치는 보수를 지불하는 사람에게 고객 정보를 전하기 전에 고객의 동의를 얻습니다.

4. 코치는 코칭의 실시에 관한 모든 작업 기록을 정확하게 작성, 보존, 보관, 파기합니다.

제10조 (이해의 대립)

1. 코치는 자신과 고객의 이해가 대립되지 않게 노력합니다. 만일 이해의 대립이

생기거나 그 우려가 생겼을 경우, 코치는 그것을 고객에게 숨기지 않고 분명히 하며, 고객과 함께 좋은 대처 방법을 찾기 위해 검토합니다.
2. 코치는 코칭 관계를 해치지 않는 범위 내에서 코칭 비용을 서비스, 물품 또는 다른 비금전 적인 것으로 상호교환(barter)할 수 있습니다.

부칙
제1조 이 윤리규정은 2011.01.01부터 시행한다.
제2조 이 윤리규정에 언급되지 않은 사항은 한국코치협회 윤리위원회의 내규에 준한다.

윤리규정에 대한 맹세

나는 전문코치로서 (사)한국코치협회 윤리규정을 이해하고 다음의 내용에 준수 합니다.

1. 코치는 개인적인 차원뿐 아니라 공공과 사회의 이익을 우선으로 합니다.
2. 코치는 승승의 원칙에 의거하여 개인, 조직, 기관, 단체와 협력합니다.
3. 코치는 지속적인 성장을 위해 학습합니다.
4. 코치는 신의 성실성의 원칙에 의거하여 행동합니다.

만일 내가 (사)한국코치협회의 윤리규정을 위반하였을 경우, (사)한국코치협회가 나에게 그 행동에 대한 책임을 물을 수 있다는 것에 동의하며, (사)한국코치협회 윤리위원회의 심의를 통해 법적인 조치 또는 (사)한국코치협회의 회원자격, 인증 코치자격이 취소될 수 있음을 분명히 인지하고 있습니다.

업데이트된 ICF 핵심역량 모델

Updated ICF Core Competency Model
2019년 10월 — October 2019

국제코칭연맹(ICF)은 코칭 추세와 현장 실무를 분석하여 업데이트된 ICF 코칭핵심역량 모델을 발표하였다. 이 역량 모델은 ICF 회원과 비회원을 포함하여 다양한 코치 훈련 과정과 코칭 스타일 및 경험을 가진 전 세계 1,300 명 이상의 코치로부터 수집한 자료를 기반으로 한 것이다. 이러한 광범위한 연구를 통해 25년 전에 개발된 기존 ICF 코칭핵심역량 모델은 오늘날의 코칭실행에도 매우 중요하다는 것을 확인하였다.

이에, 업데이트된 핵심역량 모델에서는 기존 코칭 역량에 새로운 요소들을 일부 추가하고 통합하였다. 새롭게 들어간 역량과 지침에서는 윤리적 행동과 비밀 유지를 최우선적으로 강조하였다. 또한, 코칭 마인드셋, 지속적 성찰의 중요성, 다양한 차원의 코칭 합의들 간의 중요한 차이점, 코치와 고객 간 파트너십의 중요성, 문화적, 체계적 및 맥락적 의식의 중요성이 포함되었다. 새로 포함된 역량은 오늘날 코칭실행의 핵심 요소를 반영하며 미래를 위한 보다 강력하고 포괄적인 코칭 표준으로 사용될 것이다.

A. Foundation
A.기초세우기

1. Demonstrates Ethical Practice
1. 윤리적 실천을 보여준다.

Definition: Understands and consistently applies coaching ethics and standards of coaching
정의: 코칭윤리와 코칭표준을 이해하고 지속적으로 적용한다.

1. Demonstrates personal integrity and honesty in interactions with clients, sponsors and relevant stakeholders
1. 고객, 스폰서 및 이해 관계자와의 상호작용에서 코치의 진실성과 정직성을 보여준다.

2. Is sensitive to clients' identity, environment, experiences, values and beliefs
2. 고객의 정체성, 환경, 경험, 가치 및 신념에 민감성을 가지고 대한다.

3. Uses language appropriate and respectful to clients, sponsors and relevant stakeholders
3. 고객, 스폰서 및 이해 관계자에게 적절하고, 존중하는 언어를 사용한다.

4. Abides by the ICF Code of Ethics and upholds the Core Values
4. ICF 윤리 강령을 준수하고 핵심 가치를 지지한다.

5. Maintains confidentiality with client information per stakeholder agreements and pertinent laws
5. 이해 관계자 합의 및 관련 법률에 따라 고객 정보에 대해 비밀을 유지한다.

6. Maintains the distinctions between coaching, consulting, psychotherapy and other support professions
6. 코칭, 컨설팅, 심리치료 및 다른 지원 전문직과의 차별성을 유지한다.

7. Refers clients to other support professionals, as appropriate
7. 필요한 경우, 고객을 다른 지원 전문가에게 추천한다.

2. Embodies a Coaching Mindset
2. 코칭 마인드셋을 구현한다.
Definition: Develops and maintains a mindset that is open, curious, flexible and client-centered
정의: 개방적이고 호기심이 많으며, 유연하고 고객 중심적인 사고방식(마인드셋)을 개발하고 유지한다.

1. Acknowledges that clients are responsible for their own choices
1. 코치는 선택에 대한 책임이 고객 자신에게 있음을 인정한다.

2. Engages in ongoing learning and development as a coach
2. 코치로서 지속적인 학습 및 개발에 참여한다.

3. Develops an ongoing reflective practice to enhance one's coaching
3. 코치는 코칭능력을 향상시키기 위해 성찰훈련을 지속한다.

4. Remains aware of and open to the influence of context and culture on self and others

4. 코치는 자기 자신과 다른 사람들이 상황과 문화에 의해 영향 받을 수 있음을 인지하고 개방적 태도를 취한다.

5. Uses awareness of self and one's intuition to benefit clients
5. 고객의 유익을 위해 자신의 인식과 직관을 활용한다.

6. Develops and maintains the ability to regulate one's emotions
6. 감정 조절 능력을 개발하고 유지한다.

7. Mentally and emotionally prepares for sessions
7. 정신적, 정서적으로 매 세션을 준비한다.

8. Seeks help from outside sources when necessary
8. 필요하면 외부자원으로부터 도움을 구한다.

B. Co-Creating the Relationship

B. 관계의 공동구축

3. Establishes and Maintains Agreements

3. 합의를 도출하고 유지한다.

Definition: Partners with the client and relevant stakeholders to create clear agreements about the coaching relation-ship, process, plans and goals. Establishes agreements for the overall coaching engagement as well as those for each coaching session.

정의: 고객 및 이해 관계자와 협력하여 코칭관계, 프로세스, 계획 및 목표에 대한 명확한 합의를 한다. 개별 코칭세션은 물론 전체 코칭과정에 대한 합의를 도출한다.

1. Explains what coaching is and is not and describes the process to the client and relevant stakeholders

1. 코칭인 것과 코칭이 아닌 것에 대해 설명하고 고객 및 이해 관계자에게 프로세스를 설명한다.

2. Reaches agreement about what is and is not appropriate in the relationship, what is and is not being offered, and the responsibilities of the client and relevant stakeholders

2. 관계에서 무엇이 적절하고 적절하지 않은지, 무엇이 제공되고 제공되지 않는지, 고객 및 이해 관계자의 책임에 관하여 합의한다.

3. Reaches agreement about the guidelines and specific parameters of the coaching relationship such as logis-tics, fees, scheduling, duration, termination, confidentiality and inclusion of others

3. 코칭진행방법(logistics), 비용, 일정, 기간, 종결, 비밀 보장, 다른 사람의 포함 등과 같은 코칭관계의 지침 및 특이사항에 대해 합의한다.

4. Partners with the client and relevant stakeholders to establish an overall coaching plan and goals

4. 고객 및 이해 관계자와 함께 전체 코칭 계획 및 목표를 설정한다.

5. Partners with the client to determine client-coach compatibility

5. 고객과 코치 간에 서로 맞는지(client-coach compatibility)를 결정하기 위해 파트너십을 갖는다.

6. Partners with the client to identify or reconfirm what they want to accomplish in the session
6. 고객과 함께 코칭세션에서 달성하고자 하는 것을 찾거나 재확인한다.

7. Partners with the client to define what the client believes they need to address or resolve to achieve what they want to accomplish in the session
7. 고객과 함께 세션에서 달성하고자 하는 것을 얻기 위해 고객 스스로가 다뤄야 하거나 해결해야 한다고 생각하는 것을 분명히 한다.

8. Partners with the client to define or reconfirm measures of success for what the client wants to accomplish in the coaching engagement or individual session
8. 고객과 함께 코칭과정 또는 개별 세션에서 고객이 달성하고자 하는 목표에 대한 성공 척도를 정의하거나 재확인한다.

9. Partners with the client to manage the time and focus of the session.
9. 고객과 함께 세션의 시간을 관리하고 초점을 유지한다.

10. Continues coaching in the direction of the client's desired outcome unless the client indicates otherwise
10. 고객이 달리 표현하지 않는 한 고객이 원하는 성과를 달성하기 위한 방향으로 코칭을 계속한다.

11. Partners with the client to end the coaching relationship in a way that honors the experience
11. 고객과 함께 코칭 경험을 존중하며 코칭관계를 종료한다.

4. Cultivates Trust and Safety
4. 신뢰와 안전감을 조성한다.
Definition: Partners with the client to create a safe, supportive environment that allows the client to share freely. Maintains a relationship of mutual respect and trust.
정의: 고객과 함께, 고객이 자유롭게 나눌 수 있는 안전하고 지지적인 환경을 만든다. 상호 존중과 신뢰 관계를 유지한다.

1. Seeks to understand the client within their context which may include

their identity, environment, experiences, values and beliefs
1. 고객의 정체성, 환경, 경험, 가치 및 신념 등의 맥락 안에서 고객을 이해하려고 노력한다.

2. Demonstrates respect for the client's identity, perceptions, style and language and adapts one's coaching to the client
2. 고객의 정체성, 인식, 스타일 및 언어를 존중하고 고객에 맞추어 코칭한다.

3. Acknowledges and respects the client's unique talents, insights and work in the coaching process
3. 코칭과정에서 고객의 고유한 재능, 통찰 및 노력을 인정하고 존중한다.

4. Shows support, empathy and concern for the client
4. 고객에 대한 지지, 공감 및 관심을 보여준다.

5. Acknowledges and supports the client's expression of feelings, perceptions, concerns, beliefs and suggestions
5. 고객이 자신의 감정, 인식, 관심, 신념, 및 제안하는 바를 그대로 표현하도록 인정하고 지원한다.

6. Demonstrates openness and transparency as a way to display vulnerability and build trust with the client
6. 고객과의 신뢰를 구축하기 위해 인간으로서의 한계를 인정하고 개방성과 투명성을 보여준다.

5. Maintains Presence
5. 프레즌스(Presence)를 유지한다.
Definition: Is fully conscious and present with the client, employing a style that is open, flexible, grounded and confident
정의: 개방적이고 유연하며 중심이 잡힌 자신감 있는 태도로 완전히 깨어서 고객과 함께 한다.

1. Remains focused, observant, empathetic and responsive to the client
1. 고객에게 집중하고 관찰하며 공감하고 적절하게 반응하는 것을 유지한다.

2. Demonstrates curiosity during the coaching process
2. 코칭과정 내내 호기심을 보여준다.

3. Manages one's emotions to stay present with the client
3. 고객과 프레즌스(현존)를 유지하기 위해 감정을 관리한다.

4. Demonstrates confidence in working with strong client emotions during the coaching process
4. 코칭과정에서 고객의 강한 감정 상태에 대해 자신감 있는 태도로 함께 한다.

5. Is comfortable working in a space of not knowing
5. 코치가 알지 못함의 영역을 코칭할 때도 편안하게 임한다.

6. Creates or allows space for silence, pause or reflection
6. 침묵, 멈춤, 성찰을 위한 공간을 만들거나 허용한다.

C. Communicating Effectively

C. 효과적으로 의사소통하기

6. Listens Actively

6. 적극적으루 경청한다.

Definition: Focuses on what the client is and is not saying to fully understand what is being communicated in the context of the client systems and to support client self-expression

정의: 고객의 시스템 맥락에서 전달하는 것을 충분히 이해하고, 고객의 자기표현 (self-expression)을 돕기 위하여 고객이 말 한 것과 말하지 않은 것에 초점을 맞춘다.

1. Considers the client's context, identity, environment, experiences, values and beliefs to enhance understand-ing of what the client is communicating

1. 고객이 전달하는 것에 대한 이해를 높이기 위해 고객의 상황, 정체성, 환경, 경험, 가치 및 신념을 고려한다.

2. Reflects or summarizes what the client communicated to ensure clarity and understanding

2. 고객이 전달한 것에 대해 더 명확히 하고 이해하기 위해 반영하거나 요약한다.

3. Recognizes and inquires when there is more to what the client is communicating

3. 고객이 소통한 것 이면에 무언가 더 있다고 생각될 때 이것을 인식하고 질문한다.

4. Notices, acknowledges and explores the client's emotions, energy shifts, non-verbal cues or other behaviors

4. 고객의 감정, 에너지 변화, 비언어적 신호 또는 기타 행동에 대해 주목하고, 알려주며 탐색한다.

5. Integrates the client's words, tone of voice and body language to determine the full meaning of what is being communicated

5. 고객이 전달하는 내용의 완전한 의미를 알아내기 위해 고객의 언어, 음성 및 신체 언어를 통합한다.

6. Notices trends in the client's behaviors and emotions across sessions to discern themes and patterns

6. 고객의 주제(theme)와 패턴(pattern)을 분명히 알기 위해 세션 전반에 걸쳐 고객의 행동과 감정의 흐름(trends)에 주목한다.

7. Evokes Awareness

7. 알아차림을 불러일으킨다.

Definition: Facilitates client insight and learning by using tools and techniques such as powerful questioning, silence, metaphor or analogy

정의: 강력한 질문, 침묵, 은유(metaphor) 또는 비유(analogy)와 같은 도구와 기술을 사용하여 고객의 통찰과 학습을 촉진한다.
1. Considers client experience when deciding what might be most useful
1. 가장 유용한 것이 무엇인지 결정할 때 고객의 경험을 고려한다.

2. Challenges the client as a way to evoke awareness or insight
2. 알아차림이나 통찰을 불러일으키기 위한 방법으로 고객에게 도전한다.

3. Asks questions about the client, such as their way of thinking, values, needs, wants and beliefs
3. 고객의 사고방식, 가치, 욕구 및 원함 그리고 신념 등 고객에 대하여 질문한다.

4. Asks questions that help the client explore beyond current thinking
4. 고객이 현재의 생각을 뛰어 넘어 탐색하도록 도움이 되는 질문을 한다.

5. Invites the client to share more about their experience in the moment
5. 고객이 이 순간에 경험하고 있는 것을 더 많이 공유하도록 초대한다.

6. Notices what is working to enhance client progress
6. 고객의 발전(client's progress)을 위해 무엇이 잘되고 있는지에 주목한다.

7. Adjusts the coaching approach in response to the client's needs
7. 고객의 욕구에 맞추어 코칭 접근법을 조정한다.

8. Helps the client identify factors that influence current and future patterns of behavior, thinking or emotion
8. 고객이 현재와 미래의 행동, 사고 또는 감정 패턴에 영향을 미치는 요인을 식별하도록 도와준다.

9. Invites the client to generate ideas about how they can move forward and what they are willing or able to do
9. 고객이 어떻게 앞으로 나아갈 수 있는지, 무엇을 하려고 하고 할 수 있는지 생각해 내도록 초대한다.

10. Supports the client in reframing perspectives
10. 관점을 재구성(reframing) 할 수 있도록 고객을 지원한다.

11. Shares observations, insights and feelings, without attachment, that have the potential to create new learning for the client
11. 고객이 새로운 학습을 할 수 있는 잠재력을 갖도록 관찰, 통찰 및 느낌을 있는 그대로 공유한다.

D. Cultivating Learning and Growth
D. 학습과 성장 북돋우기
8. Facilitates Client Growth
8. 고객의 성장을 촉진한다.
Definition: Partners with the client to transform learning and insight into action. Promotes client autonomy in the coach-ing process.
정의: 고객이 학습과 통찰을 행동으로 전환할 수 있도록 협력한다. 코칭과정에서 고객의 자율성을 촉진한다.

1. Works with the client to integrate new awareness, insight or learning into their world view and behaviors
1. 새로운 알아차림, 통찰, 학습을 세계관 및 행동에 통합하기 위해 고객과 협력한다.

2. Partners with the client to design goals, actions and accountability measures that integrate and expand new learning
2. 새로운 학습을 통합하고 확장하기 위해 고객과 함께 고객의 목표와 행동, 그리고 책임 측정 방안(accountability measures)을 설계한다.

3. Acknowledges and supports client autonomy in the design of goals, actions and methods of accountability
3. 목표, 행동 및 책임 방법을 설계하는데 있어서 고객의 자율성을 인정하고 지지한다.

4. Supports the client in identifying potential results or learning from identified action steps
4. 고객이 잠재적 결과를 확인해보거나 이미 수립한 실행단계로부터 배운 것을 지지한다.

5. Invites the client to consider how to move forward, including resources, support and potential barriers
5. 고객이 지닌 자원(resource), 지원(support) 및 잠재적 장애물(potential barriers)을 포함하여 어떻게 자신이 앞으로 나아갈지에 대해 고려하도록 한다.

6. Partners with the client to summarize learning and insight within or between sessions
6. 고객과 함께 세션에서 또는 세션과 세션 사이에서 학습하고 통찰한 것을 요약

한다.

7. Celebrates the client's progress and successes
7. 고객의 진전과 성공을 축하한다.

8. Partners with the client to close the session
8. 고객과 함께 세션을 종료한다.

This translation of the ICF updated Core Competencies was prepared by the ICF Korea Charter Chapter and published on 8th September 2020.
Official translations of this document are available on the ICF Global website at www.coachfederation.org.
이 업데이트된 ICF 핵심역량의 한글 번역본은 ICF Korea Charter Chapter에서 마련하였으며, 2020년 9월 8일 게재하였습니다. 이 문서의 공식 번
역본은 ICF 글로벌 웹사이트 www.coachfederation.org 에서 찾아보실 수 있습니다.

저자소개

김세희

(사)한국코치협회 인증 프로코치(KPC)이며 남서울대학교에서 코칭학 석사 학위를 취득하고, 현재 박사과정에 재학 중이다.

10년간 직장생활을 하면서 사표쓰기를 준비한 뒤, 강사, 코치로 전직에 성공한 케이스이다. 현재 사표학교 교장, 한국코치그룹 마중물 원장이자, 마중물 평생교육원장, 한국아로마코치협회장이다.

아로마테라피와 코칭이라는 두 영역에서 오랜 시간 쌓아온 지식과 경험, 경력을 보유하고 있으며, 이를 바탕으로 대한민국 최초로 "아로마코칭"이라는 새로운 분야를 선도해 나가고 있다.

1인기업을 위한 브랜드 마케팅 분야에서도 전문성을 가지고 있으며 퍼스널 브랜드 마케팅 컨설팅 사업을 진행하며, 강사, 코치들에게 안정적인 브랜딩과 수익화 모델을 제시하는 일을 하고 있다.

박유미

(사)한국코치협회 인증 코치이며 남서울대학교에서 코칭학 석사학위를 취득하고, 현재 코칭학 박사과정에 재학 중이다. 현재 한국아로마코치협회 대외협력이사, 한국아로마코칭리더십센터장으로 활동 중이다.

교육학 학사, 상담심리학 석사학위를 취득 후 군에서 병영생활전문상담관의 역할을 수행하고 있다. 상담 현장에서 여러 가지 아쉬운 점을 느끼고 있던 차에 코칭학을 공부하고 실제 현장에서 코칭을 사용하게 되면서 상담과 코칭이 서로 보완되며 더 큰 시너지 효과를 내는 것을 경험할 수 있었다. 이렇게 코칭의 매력에 빠져들게 되어 코칭학 석사학위를 취득 후 더 많은 코칭 연구를 위해 박사과정에 도전하게 되었다.

군에서 활용할 수 있는 팀 코칭 및 리더십 코칭, 셀프 코칭 등에 관심을 가지고 연구를 하며 군의 조직문화 발전에 코칭이 작게나마 디딤돌이 될 수 있게 앞장서 노력하고자 한다.

백은미

  (사)한국코치협회 인증 코치이며 남서울대학교에서 코칭학 석사학위를 취득하고, 현재 박사과정에 재학 중이다. 현재 한국아로마코치협회의 경영지원 이사 및 한국아로마코칭협회장을 맡고 있다.

  대학 졸업 후 학습코칭에 대한 강의를 듣게 되면서 내가 원하는 진로에 대한 고민이 학습에 대한 갈증으로 이어져 평생교육학을 전공하게 되었다. 이후 학습코칭, 진로, 마케팅분야 강사이자 코치로 10여 년째 활동 중이다.

  나에 대한 궁금증이 나를 성장시켰고, 모든 사람은 무한한 가능성이 있다는 코칭의 기본 원리에 따라 타인의 가능성을 존중하며 찾아가는 일을 하고 있다.

유은하

  (사)한국코치협회 인증 코치이며 남서울대학교 대학원에서 코칭학 석사학위를 취득하였다.

  학부시절 유아특수교육을 전공하였고, 한 때 '교사는 나의 천직'이라 생각했다. 그러나 코칭을 만나며 이제는 '코치가 나의 천직'이라 생각하며 새로운 삶을 살아간다.

  현재 라이프밸런스코칭 대표, 한국아로마코치협회 교육이사, 한국아로마코칭센터장으로 활동 중이며 감정을 기반으로 자체 개발한 다양한 컨텐츠를 가지고 코칭, 강의를 하고 있다.

  어제보다는 오늘이, 오늘보다는 내일이, 보다 더 낫기를 바라는 마음에 항상 끊임없이 무언가를 하며 성장의 욕구를 채워가고 성장의 결과물을 주변 사람들과 공유하고 있다.

아로마코칭 기초

발   행 | 2024년 04월 18일
저   자 | 김세희, 박유미, 백은미, 유은하
펴낸이 | 한건희
펴낸곳 | 주식회사 부크크

출판사등록 | 2014.07.15.(제2014-16호)
주   소 | 서울특별시 금천구 가산디지털1로 119 SK트윈타워 A동 305호
전   화 | 1670-8316
이메일 | info@bookk.co.kr

ISBN | 979-11-410-8179-9

www.bookk.co.kr
ⓒ 아로마코칭기초 2024